VOCÊ É O LÍDER DA SUA VIDA?

"Você pode ser líder em qualquer circunstância, começando por ser líder de sua trajetória individual. Partindo deste princípio, César Souza aponta, com simplicidade elegante, várias situações do cotidiano que nos ajudam a identificar oportunidades de crescimento e mudança, assim como possibilidades de nos tornarmos pessoas melhores, contribuindo também para o coletivo."

LUIZA HELENA TRAJANO, PRESIDENTE
DA REDE MAGAZINE LUIZA

"César Souza foi extremamente feliz neste livro ao demonstrar, com casos reais, que o que faz a diferença na liderança é a atitude do líder. Buscar modelos fora não serve mais. É preciso olhar para dentro de si!"

JOÃO DORNELLAS, DIRETOR DE
RECURSOS HUMANOS DA NESTLÉ

"César S[illegible]a escreve sobre liderança com a autoridade de quem comand[illegible] projetos vitoriosos por mais de 20 anos dentro e fora do Brasil... Leia [illegible]as páginas e aplique os conceitos na sua vida. Você vai fazer a diferença."

EDUARDO BOM ANGELO, PRESIDENTE
DA LAZAM-MDS GESTÃO DE SEGUROS

César Souza

VOCÊ É O LÍDER DA SUA VIDA?

SEXTANTE

preparo de originais: Tereza da Rocha
revisão: Ana Julia Cury, Luis Américo Costa e Sheila Til
projeto gráfico e diagramação: Marcia Raed
capa: Miriam Lerner
impressão e acabamento: Geográfica e Editora Ltda.

CIP-BRASIL. CATALOGAÇÃO-NA-FONTE
SINDICATO NACIONAL DOS EDITORES DE LIVROS, RJ

S714v

Souza, César
Você é o líder da sua vida? / César Souza. – Rio de Janeiro: Sextante, 2007.
Inclui bibliografia.
ISBN 978-85-7542-271-7

1. Liderança. 2. Sucesso. I. Título.

07-0223 CDD 658.4092
CDU 658:316.46

GMT Editores Ltda.
Rua Voluntários da Pátria, 45 – Gr. 1.404 – Botafogo
22270-000 – Rio de Janeiro – RJ
Tel.: (21) 2286-9944 – Fax: (21) 2286-9244
E-mail: atendimento@esextante.com.br
www.sextante.com.br

para Cris, cúmplice nas viagens
de ontem, hoje e sempre.

SUMÁRIO

INTRODUÇÃO À NOVA EDIÇÃO

O Líder 2.0

Um verdadeiro apagão da liderança corrói as empresas, escolas, famílias, comunidades. Por toda a parte percebemos a escassez de líderes, não só no mundo político. Ou esbarramos com a proliferação de indivíduos em posição de liderança cujos valores são, no mínimo, questionáveis. Basta olhar ao redor ou ler os jornais para nos surpreendermos a cada dia com as peripécias de líderes oportunistas, tanto no Brasil quanto em vários outros países.

Foi bem mais profunda a origem da severa turbulência que abalou a estrutura financeira do mundo no final de 2008, causando enorme onda de desemprego e afetando a vida de milhões de pessoas. O desenrolar da crise revelou que não se tratava apenas de um problema de escassez de crédito, mas também de escassez de líderes responsáveis. Assistimos a uma crise de valores na qual interesses pessoais de curto prazo puseram em risco a sustentabilidade do sistema e levaram ao caos várias empresas consideradas ícones do mundo moderno, fazendo ruir as bases de economias antes tidas como sólidas. A crise é também de liderança!

Mas não é apenas nas esferas política e empresarial que sentimos a falta de líderes inspiradores. Esses sintomas também se manifestam nas escolas: professores que raramente conseguem despertar a atenção de alunos desmotivados e indisciplinados; educadores intimidados por crianças que sequer chegaram à adolescência; uso crescente da violência verbal e até mesmo física para resolver desavenças; jovens que muitas vezes têm mais acesso à informação que seus mestres despreparados. Em muitas comunidades, as adversidades de infraestrutura básica são tão severas que o ofício de ensinar transforma-se quase que diariamente em uma operação de guerra. Nosso modelo educacional está, em geral, formando profissionais para uma realidade já ultrapassada. Nossos educadores não estão conseguindo orientar os estudantes para enfrentar os desafios do futuro. Preconceitos e vários tipos de discriminação estão fortemente presentes entre alunos, pais, professores, diretores e funcionários das escolas brasileiras.

Muitas vezes, o que ocorre nas salas de aula é reflexo do que acontece em casa. Pais que não sabem mais negociar limites e reagem com incrível submissão a hábitos e desejos absurdos e irreais dos filhos. Infelizmente, nos lares, deixaram de ser exceção as histórias de filhos agredindo e, em casos mais extremos, até assassinando os próprios pais. Ficamos chocados com os casos de adultos mantendo filhas menores em cativeiros e com a prática de abuso sexual na própria família. Também aumenta o número de divórcios, muitas vezes causados pela falta de compartilhamento da liderança, que tem levado um dos membros do casal a buscar alternativas de vida à tirania do outro.

Nas ruas e em eventos públicos e esportivos, assistimos estarrecidos aos atos de vandalismo e violência que assustam as pessoas que saem de casa para trabalhar ou em busca de diversão e lazer. Muitas vezes a competência para influenciar os outros e para aglutinar interesses é utilizada para prejudicar inocentes, como é o caso de torcidas organizadas, cujos integrantes se cadastram formalmente – não apenas para torcer pelos seus clubes, mas para provocar, agredir e travar verdadeiras batalhas campais, como se estivessem em uma guerra.

Nas empresas, ainda predominam mais chefes que líderes. Faltam sucessores preparados e assistimos ao triste espetáculo de empresas sólidas se desmancharem quando o fundador desaparece. Ficamos surpresos ao tomar conhecimento da perda de verdadeiras fortunas destinadas a formar gerentes mais eficientes, mas que não conseguem formar líderes eficazes. Muitos empreendimentos potencialmente vitoriosos sucumbem diante da triste constatação: "A ideia é boa, mas infelizmente não temos quem possa liderar esse projeto!"

A maioria dos profissionais queixa-se de que não consegue o tão sonhado equilíbrio entre as diversas dimensões das suas vidas — profissional, familiar, pessoal, espiritual e financeira; saúde, cidadania. O grau de infelicidade e frustração é muito maior do que imaginamos em vários segmentos, não apenas entre executivos, mas também entre médicos, advogados, engenheiros, arquitetos, comerciantes, empreendedores de modo geral. As causas são recorrentes: dificuldades para liderar equipes, falta de comprometimento das pessoas, desavenças entre sócios, ausência de reconhecimento, problemas de comunicação, sentimento de injustiça, resultados insatisfatórios, conflito de valores, sobrecarga e mau gerenciamento das prioridades e do tempo.

Época de mudanças ou mudança de época?

O nível de angústia crescente e o grau de despreparo dos líderes ficam ainda mais evidentes quando levamos em consideração um conjunto de novas circunstâncias que impactam nosso cotidiano: estamos em plena transição de um mundo industrial para a era dos serviços; do foco no produto para o foco no cliente; da padronização para a customização; da repetição para a diversidade; do fixo para o móvel; do previsível para o volátil; do analógico para o digital; da indiferença, quando empresas andavam de costas para a comunidade, para a exigência da responsabilidade social e ambiental; de um mundo ocidental para uma globalização multipolar.

Essa série de transições ocorrendo ao mesmo tempo pode levar os mais apressados a concluírem que estamos vivendo uma "época de mudanças". Essa simplificação da realidade costuma levar ao lugar-comum de que "a única coisa permanente é a mudança", o que produz uma certa dose de acomodação, como se fosse parte de um destino inevitável. Prefiro acreditar que atravessamos uma "mudança de época", em vez de simplesmente uma "época de mudanças".

Tanto as oportunidades quanto as dificuldades que surgem em momentos como esse devem ser enfrentadas com soluções inovadoras, corajosas, com uma nova forma de olhar e perceber a realidade. Não se trata apenas de melhorar o que existe, de incrementar o pensar para aperfeiçoá-lo e de ajustar o agir a uma nova realidade. Trata-se de reinventar o pensamento e a ação.

No momento em que o sistema dá sinais de doença – e produz resultados como essa preocupante escassez de líderes, tamanha crise de valores e a infelicidade generalizada no trabalho, nas escolas, em casa e nas comunidades –, pouco adianta tentar melhorar as bases sobre as quais o mesmo foi concebido. Só reinventando – e com inovações corajosas – poderemos enfrentar as disfunções e encontrar soluções para o que nos aflige.

Os conceitos de Liderança, tal qual os conhecemos hoje, estão com os dias contados. Os velhos e surrados atributos do que era considerado um líder eficaz foram concebidos para uma realidade que já não existe mais.

Dentro dessa nova moldura, ouso propor que, se desejamos construir empresas mais saudáveis, famílias mais felizes, relacionamentos mais duradouros e comunidades mais solidárias, precisamos mudar as nossas formas de pensar sobre Liderança e de exercê-la. Precisamos evoluir do modelo herdado da era industrial, o Líder 1.0, para um mais apropriado para a época atual, o Líder 2.0!

O Líder 1.0

O modelo mental dentro do qual fomos educados nos levou a acreditar que:

- Liderança é sinônimo de cargo, posição social, dinheiro e, até mesmo, tempo de serviço;
- Liderança é uma arte, destinada apenas a pessoas visionárias, bem informadas;
- Liderança é inata, pois alguns já nascem com este "dom";
- Existe um estilo ideal de liderança, que as pessoas devem procurar praticar;
- Líder competente é quem possui seguidores leais;
- Líderes competentes inspiram pelo carisma e pela hierarquia, pois "manda quem pode, obedece quem tem juízo".

Baseados na predominância de personagens masculinos em posições de liderança na literatura, na História e no mundo corporativo, como Alexandre, o Grande, Napoleão Bonaparte, os heróis militares das Grandes Guerras, os grandes empreendedores e executivos mais contemporâneos como Jack Welch, fomos induzidos a pensar também que os homens são mais competentes para exercer a liderança que as mulheres.

Formas de pensar e agir como essas fazem com que o potencial de liderança dentro das empresas não seja devidamente aproveitado, enquanto muitas pessoas perdem oportunidades de sucesso na carreira. Certa feita ouvi, durante um evento sobre equipes de alta performance que eu conduzia, o desabafo de uma jovem assessora que se recusou a assumir uma nova responsabilidade na empresa onde trabalhava: "Agradeço de coração, mas eu não quero ser líder... eu não nasci para ser líder!"

Esse é o mundo da Liderança 1.0, baseado no binômio "comando e controle", cujo modelo não se sustenta mais. Seus alicerces estão ruindo. Tem ficado cada vez mais evidente, por exemplo, que o líder baseado apenas no carisma é uma espécie em extinção, pois o líder competente precisa ter conteúdo. Também pouco importa em qual quadrante o seu estilo de liderança se encaixa e qual a sua distância do estilo ideal, pois não tem dado certo fingir ou tentar ser quem não somos.

Você não precisa ser gerente ou diretor de empresa para ser líder, pois todo pai ou mãe de família é líder, assim como um professor ou um estudante também podem ser. Outro aspecto cada vez mais desmistificado: o líder não nasce pronto, aprende-se a ser líder. E, finalmente, vale a pena lembrar que, hoje, a liderança não é exercida apenas por homens ou por adultos, pois, na vida real, ela é também desempenhada com competência por mulheres, crianças, adolescentes e pessoas dos mais diversos níveis sociais e culturais.

Ademais, já está ocorrendo há algum tempo o que chamo de "erosão eletrônica da liderança": no passado uma pessoa jovem levava anos para conhecer ou poder falar com o presidente de uma empresa. Hoje um estagiário da chamada "Geração Y" manda um e-mail para o poderoso chefe que está cinco níveis hierárquicos acima e... recebe resposta!

O sentido da hierarquia dançou. No Irã, o Twitter se transformou na nova estrela dos protestos contra o sistema extremista instalado. A internet virou uma espécie de "mesquita virtual", a principal ferramenta utilizada pelos manifestantes para enviar notícias para fora do país e burlar o regime truculento que tenta perpetuar certa forma de poder político e religioso por meio de uma eleição amplamente questionada. Em todo o mundo, as pessoas que exercem algum tipo de liderança estão muito mais vulneráveis hoje, pois a facilidade de acesso à informação permite um nível de transparência muito maior. A coerência entre o que o líder diz e o que faz é questionada a todo momento.

Mas, apesar de sabermos que o modelo do Líder 1.0 já não funciona mais, uma nova forma de pensar e exercer a liderança ainda não se faz presente com a intensidade necessária.

Por exemplo, foram surpreendentes os resultados de uma pesquisa intitulada "Sonhos e Pesadelos dos Líderes Empresariais Brasileiros", que realizei em parceria com a HSM, a notável empresa de educação de executivos que promoveu em São Paulo o Fórum Mundial de Liderança 2009. Obtivemos respostas de nada menos que 520 executivos do primeiro escalão de empresas representativas de todas as regiões do país.

Apesar dos discursos modernizantes de alguns executivos, a pesquisa indicou como líderes mais admirados no Brasil dois políticos, ambos ex-presidentes do país (um deles já falecido), e dois tradicionais empresários, típicos representantes da era industrial. Nenhum jovem, pensador, artista ou celebridade viva. Nenhum representante do mundo dos serviços ou da alta tecnologia. Dentre os 20 líderes mais admirados, nenhuma mulher foi indicada. Essa pesquisa evidencia o real modelo de liderança que está na cabeça de uma amostra significativa dos líderes empresariais brasileiros.

Também se fala muito do tripé da sustentabilidade: o pilar econômico-financeiro, o social e o ambiental. No meu modo de ver, falta o quarto e principal componente: a capacidade de *desenvolver líderes em todos os níveis*, não apenas no topo. Estou convencido de que as empresas vencedoras nessa nova época serão aquelas que souberem montar verdadeiras Fábricas de Líderes. A sobrevivência – ou, se preferir, a longevidade, a perpetuidade, a sustentabilidade a longo prazo das empresas – será diretamente proporcional à sua capacidade de desenvolver líderes eficazes, além de oferecer produtos ou serviços de qualidade. Líderes eficazes, repito, não apenas gerentes eficientes.

Ao longo da minha carreira tenho tido a oportunidade de conviver com vários líderes inspiradores em diversas partes do mundo. São líderes – homens e mulheres, alguns bastante jovens – diferenciados, notáveis, mesmo aqueles que são anônimos por não ocuparem cargos nem posição social de destaque. Mas exercem a liderança de forma muito competente.

Inspirado pela convivência com alguns desses líderes de carne e osso e baseado na minha própria prática de quase três décadas, tanto como executivo nas missões que cumpri em vários países quanto como consultor de empresas e conselheiro pessoal de alguns desses líderes, nos últimos anos tenho concebido e coordenado alguns programas de desenvolvimento de líderes bastante diferenciados dos tradicionais cursos e seminários institucionais oferecidos sobre o tema.

Ao lado dos meus colegas e sócios da Empreenda, tenho me empenhado em criar condições, eventos e ferramentas educacionais para desenvolver Líderes 2.0, um tipo de líder inspirador, muito diferente daquele Líder 1.0 que encontramos com frequência muito maior.

O Líder 2.0

Esse novo tipo de líder se destaca por reunir algumas características, as Cinco Forças do Líder 2.0, que o leitor encontrará descritas de forma detalhada ao longo do livro:

- Oferecer causas, não apenas tarefas ou metas.
- Formar outros líderes, não apenas seguidores.
- Liderar em 360 graus, não apenas em 90 graus.
- Surpreender pelos resultados, fazendo mais do que o combinado.
- Inspirar pelos valores, não apenas pelo carisma.

Escrevi este livro em 2007 e aceitei o desafio desta nova edição, revista e atualizada, com o firme propósito de estimular você a compreender a essência da liderança e a mudar sua maneira de pensar e de agir, dando início a uma etapa transformadora de crescimento profissional, pessoal e espiritual. Que minhas provocações possam motivá-lo a se transformar em um Líder 2.0.

Este é um livro literalmente "pé na estrada". Inspirado por *road movies*, como *Central do Brasil* e *Diários de motocicleta*, de Walter Salles, resolvi fazer um *road book* em que um personagem atormentado pelo medo do fracasso sai em busca de respostas para as angústias do líder no mundo moderno.

Preferi usar uma narrativa ficcional – inspirada em fatos, lugares e personagens reais – para fugir do tecnicismo normalmente atrelado ao tema liderança. Por isso o livro está repleto de informações históricas e culturais sobre os cenários onde se desenvolve a trama. Você conhecerá a trajetória de sucesso de diversas pessoas do Brasil e do exterior e aprenderá, como eu aprendi, grandes lições. Combinando personagens de ficção com algumas personalidades reais, procuro mostrar que o sucesso é consequência natural para quem encontra seu próprio estilo e aprimora suas melhores qualidades.

Continuo, assim, minha cruzada para desmistificar conceitos-chave no mundo dos negócios, tais como Estratégia, tema do meu livro *Você é do tamanho de seus sonhos*, e Mudança, objeto de *O momento da sua virada*. Até mesmo antes de publicar esses livros, para dar uma chacoalhada nas turmas de Marketing, Vendas e Comercial das empresas, criei um termo que muito repercutiu, *Clientividade*®. Fico feliz por sair do lugar-comum e propor uma forma de pensar inovadora, útil tanto para grandes empresários e executivos quanto para pessoas comuns em vários recantos do Brasil.

Minha missão como escritor é tornar mais acessíveis assuntos complexos que nos tiram o sono, em vez de me empoleirar no alto de modelos complicados. Meu desejo é contribuir para um entendimento mais pragmático e menos idealizado sobre Liderança nas várias dimensões da vida. Espero que você concorde comigo e também acredite que, apesar da complexidade do tema, ele não precisa ser tratado de forma complicada.

Mais que uma viagem ao redor do mundo, procuro relatar o percurso interior em busca do líder que existe dentro de cada um. Espero que você se identifique com o personagem, suas ansiedades, dúvidas e descobertas. Esta é a razão pela qual ele não tem nome, nem sabemos ao certo sua cidade de origem ou sua idade.

Agradeço antecipadamente, caro leitor, sua companhia nessa viagem que se iniciará ao virar a próxima página do livro, quando você encontrará alguns desses Líderes 2.0 que inspiram a construção de um futuro mais auspicioso para nossas empresas, famílias, escolas e comunidades.

Vamos lá! É hora de repensar, criar, agir, fazer acontecer. É hora de aproveitar as oportunidades que essa "mudança de época" propicia. É hora de se reinventar como líder, de assumir a cabine de comando da sua vida, dar uma rápida olhada no surrado modelo do Líder 1.0 pelo espelho retrovisor e, a partir de agora, mirar o futuro, transformando-se num Líder 2.0. É hora de renascer! Pé na estrada...

César Souza

UM

O enigma da liderança

"Só posso lhe dizer uma coisa: não existe receita pronta. Se quiser realmente se tornar um Líder Inspirador, você terá, por si mesmo, de encontrar as respostas para suas perguntas. Ou correrá o risco de desperdiçar a vida. Decifrar os enigmas da liderança é a razão do êxito de vários líderes no mundo inteiro. Essa não é uma missão fácil, exigirá muita determinação para superar obstáculos."

Passava das 11 da noite quando resolvi conferir meus e-mails. Sem muita esperança, procurava a resposta a uma mensagem que enviara pela manhã, pouco antes de sair de casa para o escritório.

Tinha quase certeza de que não a receberia. Afinal, eu estava tentando falar com o presidente da empresa onde trabalho, uma multinacional com presença em vários países. Ele é um executivo com experiência internacional que regressou ao Brasil há pouco mais de três anos para assumir o comando dos negócios da subsidiária daqui. Seu retorno ao Brasil, após ter comandado algumas filiais menores, vivendo sete anos no exterior, foi cercado na época de grande expectativa.

Os resultados do seu trabalho não tardaram a aparecer. O faturamento e a rentabilidade da empresa cresceram bastante no período. Em pouco tempo, ele era reverenciado por todos. Essa admiração podia ser claramente percebida quando ele circulava pelos diferentes departamentos, sempre pedindo opiniões das pessoas.

Mas ele parecia inacessível a pessoas como eu, novato na empresa e vários degraus abaixo dele na hierarquia. Talvez por ele ter garagem privativa, usar o elevador exclusivo da Diretoria, raramente almoçar no restaurante da empresa e estar sempre em reuniões com clientes importantes, fornecedores e acionistas.

O e-mail que enviei me identificava apenas como um "colaborador angustiado". Tive o cuidado de usar meu correio eletrônico pessoal, que não levava o nome da empresa. Por isso era alta a chance de mais essa mensagem ser sumariamente ignorada, da mesma forma que as duas anteriores.

Mesmo assim, naquela manhã, decidi insistir mais uma vez.

Mal pude acreditar quando vi sua resposta na minha caixa de mensagens. Ele havia respondido às 20h45!

Li e reli aquela mensagem várias vezes, como se quisesse me convencer de que não estava enganado. Pensei em chamar minha esposa, mas ela dormia profundamente.

As palavras do presidente me deixaram intrigado. O que ele queria dizer com "decifrar os enigmas da liderança"?

Tratei de relembrar o que havia perguntado a ele. Não foi difícil, já que eram questões que me atormentavam havia muito tempo. Passara o dia todo recordando as frases escritas na mensagem que eu reenviara:

"O que é ser um líder eficaz?

O senhor se considera um deles?

Qual é o perfil do líder ideal?

O senhor é um líder em tempo integral, isto é, lidera também em casa e na comunidade?

Ou é líder apenas quando está de paletó e gravata dentro das paredes da empresa?

O líder já nasce pronto?

Liderança é arte ou ciência?

Quais os melhores exemplos de líder que conhece?

É possível fazer de uma carreira como a sua uma ferramenta para ajudar as pessoas a crescerem pessoal e profissionalmente?

Poderia sugerir o melhor curso ou livro para um candidato a líder como eu, que está tendo problemas com seus liderados?"

Apesar de ter feito esse questionário, na realidade, o que eu gostaria de ter perguntado era apenas: "Como o senhor chegou aonde está? Como construiu sua carreira? Que contribuição o senhor tem dado ao longo da sua vida?"

Mas tive medo de ser identificado facilmente e talvez mal interpretado, como se fosse apenas um funcionário novo e ambicioso tentando pavimentar seu caminho para o sucesso e ao mesmo tempo "puxando o saco" do grande chefe.

Não passou pela minha cabeça dizer que tinha sido admitido havia apenas dois meses e que ali eu estava começando a trabalhar em uma multinacional de verdade. Até o momento, minha carreira seguira um caminho tradicional, linear, sem muitos sobressaltos.

Trabalhei alguns anos em uma empresa familiar do ramo de autopeças. Saí quando recebi o convite para assumir o cargo de gerente de franquias de uma indústria de produtos de beleza. Na época, fiquei empolgado com a possibilidade de atuar em uma firma de maior porte, em um negócio completamente diferente do anterior.

Aos poucos, no entanto, fui percebendo que os horizontes daquela empresa eram mais estreitos do que eu esperava. Meu sonho era trabalhar em uma grande multinacional onde pudesse fazer carreira e, inclusive, passar um período no exterior.

Ao longo do jantar em comemoração do meu aniversário, tomei a decisão de mudar de emprego. No dia seguinte, enquanto tomávamos o café da manhã, contei à minha mulher o que havia resolvido e pedi a ela que marcasse um almoço com um conhecido recrutador de executivos. Ela é gerente de Recursos Humanos de outra multinacional que tem vários negócios no Brasil e se relaciona com muitos especialistas envolvidos na recolocação de profissionais no mercado.

Minha esposa ficou preocupada. Indagou se não seria cedo demais para uma nova mudança de empresa. Argumentou que isso poderia sinalizar que sou inconstante e não me ajusto muito bem à vida empresarial.

– Precisamos de certa estabilidade – disse ela. – Lembre-se que estamos pensando em sair do imóvel alugado, ter nosso apartamento próprio. E, principalmente, não se esqueça do nosso sonho de ter um filho. Se nosso desejo é para valer, tenho que engravidar logo. No mês que vem faço aniversário e começo a entrar na fase em que é mais difícil para a mulher ter o primeiro filho.

As palavras dela ficaram martelando na minha cabeça a manhã toda.

Na hora do almoço, liguei para ela e a convidei para ir a um pequeno restaurante onde sempre nos encontrávamos quando precisávamos conversar tranquilamente.

Durante a refeição, disse a ela o que mais me incomodava:

– Onde estou, não tenho possibilidade de subir e realizar nossos sonhos. Preciso ir para uma empresa grande, onde possa usar meu potencial.

Ela ainda contra-argumentou que nem sempre uma multinacional, pelo simples fato de ser grande, é um local de oportunidades.

– As normas podem ser muito rígidas – salientou. – A cultura da empresa multinacional às vezes engessa as pessoas.

Aí apelei para o argumento que, tenho certeza, as mulheres entendem melhor que os homens:

– Não estou feliz!

Então ela me olhou fundo nos olhos, esboçou um sorriso de cumplicidade quase maternal e concordou em marcar a entrevista.

No fim da tarde, ao sair de uma reunião, recebi uma ligação dela no celular. Havia agendado um almoço para a semana seguinte. E me preveniu que seu amigo gostava de ser chamado de "caçador de talentos".

Após aquele almoço com ele, mais duas entrevistas, uma bateria de testes e uma interessante sessão de dramatização – para definir melhor meu estilo de liderança e meu jeito de lidar com situações estressantes –, o especialista me revelou que uma multinacional tinha uma vaga para o cargo de gerente de produto. Queriam alguém com o meu perfil: uma pessoa ousada, ambiciosa, criativa, não acomodada.

O gerente que buscavam seria encarregado de uma linha de produtos antiga e muito bem-sucedida. O então ocupante do cargo seria deslocado para uma nova linha a ser lançada no prazo de um ano. Precisavam do novo profissional com certa urgência, para que houvesse tempo de fazer o seu treinamento, à medida que ele fosse se aculturando na empresa.

Resolvi pagar para ver e demonstrei interesse pela vaga. Além de ser uma empresa de excelente reputação, o prestígio de que o presidente desfrutava na comunidade empresarial era um atrativo adicional para mim. Agendaram uma reunião com o diretor da Unidade de Negócios que seria meu chefe imediato. Ele se reportava à vice-presidente Comercial, que, por seu turno, respondia ao presidente.

A conversa foi boa. O diretor, muito simpático, pareceu ter gostado do meu jeito. Desde o início tentou me atrair, destacando a importância da empresa no mercado global. Citou vários números. Enfatizou que essa nova linha de produtos já tinha alcançado elevado sucesso em diversos países e que não podiam decepcionar a matriz. Por isso deslocariam seu melhor profissional para a nova posição e precisavam de alguém novo para a linha já consolidada. Usou uma das máximas do mundo empresarial: "Gente nova em situação conhecida e gente experiente em situação nova."

No início isso me preocupou. Boas empresas procuram formar sucessores para cada um de seus cargos importantes. Não me contive e perguntei por que não promoviam alguém da equipe.

Ele ficou em silêncio durante longos segundos. Obviamente não esperava uma pergunta dessas, ainda mais de um candidato à vaga em questão.

– A ordem é oxigenar a empresa com sangue novo – respondeu de forma incisiva.

E, antes que eu tivesse tempo de fazer qualquer comentário, falou:

– Você está ou não interessado de fato nesse desafio?

Comecei a trabalhar na empresa no início do mês passado.

A saída da franqueadora não foi fácil. Pegou todos de surpresa. Meu chefe tentou me dissuadir. Vendo que minha decisão não mudaria, agiu como se fosse vítima de traição, o que tornou meu desligamento mais conturbado.

Alguns amigos me parabenizaram pela mudança, outros manifestaram claramente sua reprovação e houve também os que preferiram guardar um cauteloso silêncio.

Logo de cara, confesso, o trabalho na multinacional foi uma ducha de água fria na minha cabeça.

A verdade é que a franqueadora era pequena, porém muito mais empreendedora. E a burocracia dessa multinacional, apesar de eu estar lá havia tão pouco tempo, começava a me sufocar. Eles tinham regra para tudo. Até para comprar certas peças de reposição eram necessárias pelo menos cinco assinaturas!

A linha de produtos sob minha responsabilidade já estava bastante consolidada no mercado e, nos diferentes países em que a empresa atuava, a operação também era bastante padronizada.

Tentei dar duas ou três sugestões, mas comecei a ouvir desculpas:

– Há anos fazemos assim, por que mudar? Não se mexe em time que está ganhando!

O gerente, que seria deslocado em breve para a nova linha e que deveria fazer o meu treinamento, também se mostrou muito fechado. Descobri, em conversas informais, que ele teria escolhido um sucessor, seu braço direito na operação. Mas a ordem superior foi trazer alguém de fora. Não queriam ter um gerente comandando uma nova linha de produtos e ainda com forte influência em outra.

Aos poucos, fui sentindo no ar um cheiro de boicote por parte daquele que eu deveria suceder e da equipe que eu deveria liderar. Eu era tratado como um "estranho no ninho", alguém que podia até entender de peças de automóveis e de cosméticos, mas não sabia nada do produto que deveria gerenciar.

A situação ficou ainda mais clara após uma reunião com o meu pessoal. Fui disfarçadamente questionado, numa nítida tentativa de desgastar minha autoridade, e percebi que minha equipe estava me sonegando informações importantes. Aquilo me soou como uma paulada. Tive medo do fracasso.

Tentei conversar com o diretor da minha área, mas não tive sucesso. Pelo menos três reuniões foram desmarcadas por ele, alegando outras prioridades. Procurei, então, o responsável pela área de Recursos Humanos e também não encontrei a porta aberta para o diálogo franco que eu precisava ter.

Não dormi bem a semana inteira. Ficava revirando o corpo na cama, pensando na melhor forma de administrar a situação. Foi então que tive a ideia de escrever ao presidente da empresa. As chances de que ele respondesse à minha mensagem pareciam remotas, mesmo assim decidi tentar. Escrevi duas vezes, mas não obtive retorno.

De manhã cedo, sentei diante do computador, respirei fundo e, mais uma vez – click –, mandei bala!

Agora estava ali, olhando para a tela, sem saber o que fazer com a resposta inesperada.

Já era tarde da noite quando resolvi responder, com uma nova provocação:

"Presidente, agradeço o uso de seu escasso tempo para dar um retorno ao meu e-mail, mas o senhor não respondeu às minhas perguntas."

Fui até a cozinha buscar um copo d'água antes de ir para o quarto dormir.

Enquanto voltava para desligar o computador, ouvi, surpreso, o sinal indicando que havia mensagem nova. Abri o correio eletrônico e recebi o xeque-mate:

"Identifique-se! Ligue para minha secretária amanhã cedo e agende uma reunião. Não vou responder às suas perguntas. Mas talvez possa criar oportunidades para você encontrar as respostas que procura. Aviso: este é o último e-mail seu a que respondo."

DOIS
A Fábrica de Líderes

Timidamente, cumprimentei-o com o tradicional boa-tarde. Ainda duvidava que estivesse entrando na sala do presidente da empresa.

Logo cedo, por sugestão da minha mulher, resolvi acabar com aquele mistério. Assim que cheguei ao escritório, liguei para a secretária do presidente e expliquei, ainda hesitante e de forma meio confusa, que era o autor do e-mail da véspera. Falei que ele solicitara que eu a procurasse para agendar um encontro.

Alguns minutos depois ela retornou minha chamada. O presidente me receberia naquela tarde, às 17h30. Fiquei intrigado com a rapidez da resposta e com o fato de o encontro ter sido marcado para o mesmo dia. Não tinha nem me vestido adequadamente para uma reunião daquelas. Mas, felizmente, teria tempo de ir até minha casa trocar de roupa.

No horário combinado, lá estava eu, diante da sala dele, devidamente trajado, ouvindo sua secretária avisá-lo da minha chegada.

Quando entrei na sala, tive a primeira grande surpresa. Sentados em poltronas que compunham uma espécie de sala de visitas, havia três convidados que eu não esperava encontrar ali: a vice-presidente Comercial, o vice-presidente de Recursos Humanos e o diretor da Unidade de Negócios, meu chefe imediato.

Cumprimentei-os, meio sem graça. Engoli em seco. Os três mal conseguiam disfarçar o constrangimento da situação. Os dois vice-presidentes, embora estivessem acostumados com o estilo do presidente, também não pareciam muito confortáveis. Meu chefe dava claros sinais de irritação, deixando transparecer que eu havia desrespeitado a hierarquia. Chegou a me dizer em tom de brincadeira que eu poderia ter conversado com ele sobre minhas dúvidas e a cultura da empresa. Pensei comigo mesmo: "E as três reuniões que você cancelou?", mas resolvi ficar quieto.

O presidente, percebendo o embaraço de todos, tentou nos deixar à vontade. Sorriu, ofereceu água e café, comentou que aquele havia sido um dia e tanto, cheio de boas notícias sobre a nova linha de produtos e as promissoras perspectivas do mercado. Enfatizou que esperava que aquele fosse um dos melhores anos da história da companhia.

Deixou claro, porém, que o crescimento da empresa seria diretamente proporcional à nossa capacidade de fabricar líderes.

– Precisamos – falou em tom de provocação – não apenas dos produtos de qualidade que já fabricamos, mas também de líderes de qualidade. Só cresceremos se conseguirmos desenvolver líderes em todos os níveis da empresa – disse ele enquanto mirava a imensa vidraça no lado esquerdo da sala, que descortinava as cores do sol se pondo por entre os prédios do centro da cidade.

Comecei a relaxar. E a achar o presidente mais acessível do que eu pensava antes de conhecê-lo. Pessoalmente, ele me pareceu simpático. Mais do que diziam.

Aí ele entrou no assunto. Disse que havia algum tempo não acontecia algo tão inusitado quanto os meus três e-mails que recebera. Confessou que no início se irritou e tratou de apagar as mensagens. Mas, no dia anterior, na volta do almoço, resolveu responder a última. Sua intuição sugeria que não deixasse aquela situação passar em branco.

Chegou a desconfiar que a mensagem poderia ser de um de seus filhos, com o qual tivera problemas no passado, já resolvidos com a ajuda de um conselheiro para ele e para o rapaz.

Depois prosseguiu, bastante sério:

– Esse meu filho criou muitos problemas, mesmo tendo em casa todo o conforto que um executivo na minha posição pode dar à sua família. Ele começou a praticar pequenos delitos e depois adotou posturas pouco éticas. Tentou, inclusive, prejudicar os irmãos. Aí se voltou contra mim, pois precisei tomar atitudes enérgicas em relação a ele. Felizmente – assegurou o presidente –, isso já foi resolvido. O garoto se casou e, por ironia, teve três filhos. Acho que percebeu que não precisava enganar os irmãos para ter sucesso na vida. Mas, de vez em quando, ainda gosta de me provocar.

Então arrematou:

– Como podem perceber, às vezes é mais difícil ser um bom líder em casa do que na empresa.

Aí ele disse que teve uma enorme curiosidade de conhecer o autor do e-mail. Ainda citou Andy Grove, ex-presidente da Intel, uma das empresas mais bem-sucedidas no mundo digital, segundo o qual só os paranoicos sobrevivem. Disse que tinha lá sua dose de paranoia. Todos rimos bastante.

O homem sabia seduzir seus interlocutores. Revelava coisas sobre si mesmo, pensava eu, a fim de obter revelações dos demais.

Não deu outra. Sem rodeios, o presidente foi direto ao ponto:

– O que o motivou a escrever um e-mail diretamente para mim?

Inicialmente, tentei ser evasivo, mas logo percebi que me perderia naquela conversa. E respondi de forma quase dramática:

– Desculpe se invadi sua privacidade e se desrespeitei as regras da hierarquia, mas estou muito angustiado. Vivo uma situação-limite. Larguei meu trabalho anterior porque estava cheio de ilusões de que, numa empresa como esta, poderia usar plenamente meu potencial. Sinto que errei em meu julgamento e não soube enxergar os bastidores do poder. Tenho a sensação de que estou sendo boicotado e não conseguirei fazer nada de útil pela empresa nem pela minha carreira. Sou uma pessoa cheia de sonhos pessoais, familiares e profissionais. Mas estou com medo. Tenho muito medo de fracassar!

Ele me respondeu com uma frase enigmática:

– Fracasse o mais rápido que puder. Só assim terá sucesso mais cedo!

Não acreditei no que ouvi. Os outros três convidados estavam igualmente perplexos.

Argumentei que, se eu fracassasse, provavelmente seria demitido. E que meu fracasso não interessava a mim nem à empresa. Ele, então, afirmou que uma das maiores qualidades de um líder é não ter medo do fracasso.

– O líder de verdade sabe usar eventuais quedas para se reinventar no momento seguinte. Trata-se de uma sabedoria que se adquire na estrada. O problema passa a existir se você erra mais do que acerta ou se comete sempre os mesmos erros, o que significa que você não aprende com eles.

E, em tom didático, ele se dirigiu aos demais:

– As empresas precisam se reinventar e, para isso, devem correr riscos. Acontece que estamos educando uma geração de acomodados, de pessoas que têm medo de arriscar opiniões, que têm medo de errar. Este é um grande paradoxo: precisamos nos reinventar para competir melhor, mas ensinamos aos nossos colaboradores que não se deve ousar. Eles são orientados a viver de acordo com normas que podem ter sido úteis em uma realidade que já não existe mais. A consequência é que estamos formando gerentes eficientes, em vez de líderes eficazes.

Prosseguiu contando que observou em meu e-mail dois pontos contraditórios: a coragem de fazer perguntas e, ao mesmo tempo, a espera por respostas prontas, o que reflete uma atitude que certamente precisa ser mudada.

Ficou interessado em me conhecer pela minha ousadia de furar a escala hierárquica. Queria checar se eu tinha potencial para ser um futuro líder, mas de uma fornada diferente, muito diferente daqueles que foram treinados nas ideias tradicionais sobre liderança. Ou se eu era apenas um indisciplinado.

Finalmente entendi por que ele tinha me convocado para aquela reunião.

– Minha próxima grande missão, antes de deixar a presidência desta subsidiária, o que ocorrerá dentro de pouco mais de um ano – disse o presidente em tom quase solene –, é reinventar esta empresa, dotando-a de líderes mais adequados para a nova realidade do mundo em que viveremos. Logo em seguida deverei assumir uma nova responsabilidade no Conselho de Administração na matriz da empresa, voltando a morar no exterior.

E acrescentou:

– A liderança, tal qual a conhecemos hoje, está com os dias contados! Por esta razão, resolvi convidar meus três executivos para participar desta conversa. Precisamos de uma nova forma de pensar e de exercer a liderança. Precisamos de muitos líderes, não apenas de um ou dois. Temos de superar essa visão elitista da liderança, que só comporta um líder em cada empresa, em cada família, e assim por diante.

Bebeu um gole de água e continuou:

– Minha experiência e minha intuição apontam alguns caminhos para essa nova maneira de pensar e praticar a liderança. Mas gostaria de ter isso bem formatado num conjunto de princípios que fornecessem os pilares da educação do novo líder. Aí poderíamos desenvolver um programa de formação dessa verdadeira Fábrica de Líderes que pretendo montar aqui ainda este ano. Mais tarde, ao assumir minhas funções no Conselho de Administração, desejo fazer o mesmo em todos os países onde a empresa atua.

De forma triunfal, olhando mais uma vez para a janela por onde se viam as luzes da cidade se acendendo aos poucos, declarou:

– Esse é o melhor legado que posso deixar para que esta empresa tenha um futuro vencedor. Melhor fazer isso do que deixar simplesmente um bom lucro no caixa ou aumentar a fatia de mercado da empresa. O lucro desaparece facilmente com o tempo. Líderes competentes em todos os níveis duram muito mais e são capazes de vencer obstáculos quando surgem.

– Eu próprio sei que tenho de mudar – continuou. – Sei que devo abandonar certas ideias sobre liderança que podem ter sido úteis em algum momento, mas nas quais não acredito mais. O carisma do líder é um exemplo. Esse atributo é necessário, mas não é suficiente. Saco vazio não para em pé por muito tempo. Um líder sem conteúdo, contando apenas com o seu carisma, não sobreviverá.

Então começou a desfiar alguns conceitos surrados que, segundo ele, são mera filosofia barata e superficial. Lembrou frases de efeito como "O verdadeiro líder é aquele que é capaz de despertar em seus subordinados o senso do dever" e o lugar-comum "Liderar não é apenas chefiar nem gerenciar". E dissertou sobre a complacência excessiva que observava em todos os lugares por onde passava.

– Não aguento mais essa mesmice – falou com certa irritação.

– A ideia do "líder heroico" está ultrapassada. A pior de todas que tenho ouvido é que "O líder precisa gostar de gente, pois esse é o diferencial de sucesso nos dias de hoje" – disse ele, sem disfarçar o riso. – Chega, também, de ficar engaiolando as pessoas nos quadrantes dos possíveis estilos de liderança. São modelos que tentam forçá-las a ser o que não são. Chega de tentar clonar nos outros os estilos de líderes bem-sucedidos. Não existe líder perfeito! O máximo que se pode aprender são uma ou duas características de um líder, duas ou três de outro. Também não existe líder pronto. Aliás, ninguém nasce pronto. Eu não nasci pronto. Você não nasceu pronto. Líder não nasce pronto, a gente aprende a ser líder.

Segundo a análise do presidente, escritórios como aquele onde trabalhava são perigosos observatórios do mundo:

– Daqui dessa mesa, pouco da realidade se vê. A gente acaba míope e um pouco surdo. Só ouve o que os outros acham que queremos ouvir!

Reinava o mais absoluto silêncio.

– Resumindo, vivo um momento de transição. De um lado, tenho convicções profundas sobre o que não é mais útil, o que devemos eliminar no nosso modo de pensar, as velhas e surradas teses de liderança e os tradicionais atributos do líder eficaz. De outro lado, é preciso definir com mais clareza o que desejamos adquirir. Necessito da ajuda de todos. Faz sentido para vocês?

Comentei, excitado, que aquilo soava como música para mim. Poderia ter parado aí, mas acrescentei que aquela era a razão das minhas perguntas na mensagem endereçada a ele, e que continuava esperando as respostas.

O presidente não gostou da segunda parte do meu comentário.

– Já disse que essa sua atitude de querer respostas dos outros é uma das coisas que precisam mudar. As pessoas costumam buscar "seres superiores" para explicar o que não conseguem entender. Acreditam que esses seres podem guiá-los. Esperam o "salvador da pátria", alguém como o Mestre Yoda, aquele personagem do filme *Guerra nas estrelas*.

– O mito do Grande Líder está presente em todas as culturas – prosseguiu ele. – Aprendizes esperam revelações de mestres. Jovens líderes gostam de pedir àqueles que têm sucesso que lhes revelem os segredos da liderança. Só isso não basta. A liderança não é mais unidirecional. É importante formularmos perguntas instigantes. Mas não podemos esperar respostas prontas. O reinado das respostas acabadas, do sabe-tudo, chegou ao fim – decretou, de forma emocionada.

Absorvi a paulada sem saber o que dizer. Mudei de posição na poltrona, cruzei as pernas, respirei fundo. Os três diretores olhavam na minha direção, à espera de alguma reação de minha parte. Preferi manter o silêncio.

Eles se manifestaram, economizando palavras. Afirmaram ser aquela uma ideia interessante, algo diferente. Mas não demonstraram muita convicção. Parecia que aguardavam uma decisão do chefe para se posicionarem de acordo com ela.

Então o vice-presidente de Recursos Humanos ofereceu-se para fazer um levantamento de todos os livros e cursos de liderança e procurar o que havia de diferente para servir de subsídio.

Senti que chegara o momento de corrigir minha infeliz intervenção anterior.

Arrisquei opinar que a pretensão do presidente, com certeza, não se encontraria em livros nem em cursos porque ele falava de algo novo. Em geral, livros e cursos relatam o que já é conhecido.

Naquele momento, o presidente olhou para mim com ar de cumplicidade.

Encorajado, prossegui:

– Não devemos perder tempo com a mesmice. Vamos buscar algo realmente novo, tanto em termos de conteúdo como de método. Não vamos perder tempo com o velho em uma nova roupagem. Veremos o que existe de novo, mas, sobretudo, vamos descobrir e ajudar a formular o Novo!

– A coragem dos seus comentários me indica que você pode se transformar em um líder do tipo que estamos precisando – ponderou o presidente. – Mas você precisa estar disposto a buscar respostas e a fazer melhores perguntas. Posso lhe dar uma chance de nos ajudar nessa missão. Está preparado para correr riscos e, se for o caso, fracassar?

Pensei no que diria minha mulher.

– Claro que sim – ouvi minha voz responder. – Gostaria muito de enfrentar esse desafio, de correr esse risco. Mas não pretendo fracassar, porque darei o melhor de mim e porque isso não é uma tarefa comum, mas algo que pode fazer uma enorme diferença na vida da empresa.

– Pois bem, posso lhe dar a oportunidade de ajudar a formatar aquilo de que precisamos – ele me disse. – Por algumas semanas, vou liberar você da rotina que o atormenta aqui na empresa.

Os demais convidados não acreditavam no que estavam presenciando. Argumentaram que essa era uma tarefa para meses, e não apenas para algumas semanas.

Nesse momento o meu chefe, o diretor da Unidade de Negócios, resolveu intervir:

– Presidente, sugiro que essa missão seja realizada por mais de uma pessoa. Mesmo porque estamos diante de um novato na empresa que ainda não conhece nossa cultura e nosso negócio. Sugiro também que o senhor convoque, pelo menos, o gerente que está sendo deslocado para a nova linha de produtos.

Ele retrucou firme:

– Sem chance. Você deve se lembrar que há alguns meses fiz uma proposta semelhante a esse profissional, sem dúvida muito competente na produção. Mas ele me disse que estava sobrecarregado e que preferia se concentrar nos resultados de curto prazo. Além disso, em pelo menos duas outras oportunidades em que tentei falar sobre mudanças no perfil dos líderes, ele se saiu com esta máxima: "Sempre fizemos assim, há 12 anos somos vitoriosos, por que mudar?"

O presidente prosseguiu dizendo que a empresa investiria em mim para identificar esses novos pilares da liderança. E falou do grande aprendizado que teve sendo transferido do Brasil várias vezes para trabalhar em países de diferentes culturas.

– Eu questionava muito e tive a oportunidade de aprender bastante nessas viagens – confessou. – Aprendi mais observando e interagindo do que estudando em livros ou em cursos. Isso me deu base. Eu apresentei essas conclusões ao meu superior e a partir daí esboçamos um programa para treinar novos talentos na empresa. Serviu para a época. Agora, precisamos renovar. Atribuo ao aprendizado desse período o fato de ter chegado à posição que ocupo hoje.

Ele citou um trecho de uma entrevista concedida por Jack Welch, o famoso presidente da General Electric:

"O Jack Welch do futuro não pode ser parecido comigo. Toda a minha carreira foi feita nos Estados Unidos. O novo presidente da GE será alguém que tenha passado um tempo em Bombaim, em Hong Kong, em Buenos Aires. Nós precisamos mandar nossos melhores profissionais para o exterior para garantir que eles tenham o treinamento que lhes permita ser os líderes que farão a empresa florescer no futuro."

Virou-se para mim e disse:

– Sua ousadia, sua curiosidade e sua não acomodação me fizeram lembrar muito alguns momentos críticos que vivi. Quero convocá-lo para essa missão, que começará com algumas viagens. Seu espírito de aventura o ajudará. A empresa pagará passagem e hospedagem, mas com duas condições: a primeira é que você fará uma viagem de uma semana pelo Brasil, seguindo um roteiro que vou lhe revelar oportunamente. Receberá uma lista de contatos e visitas que poderá seguir ou não. No fim da primeira semana terá que me enviar um relatório com cópia para todos os que estão aqui, relatando se conseguiu aprender alguma lição relevante para você mesmo e para a geração de novos líderes na empresa. Se tiver conteúdo, mandarei a passagem para uma segunda viagem. Do contrário, você retornará às suas funções habituais. Entenda: não se trata de uma viagem de turismo nem de uma peregrinação de autodescoberta simplesmente pelo prazer egoísta de visões reveladoras. Trata-se de um projeto especial. Você terá a obrigação de relatar seus achados ou até mesmo suas dúvidas. Durante as próximas semanas você será um assessor especial da Fábrica de Líderes que pretendo a princípio montar aqui e depois convencer a matriz de fazer o mesmo nos países onde atuamos.

– E a segunda condição? – perguntei, curioso e mal podendo disfarçar o brilho nos olhos.

– Você terá de ir com sua mulher – disse ele.

– Mas ela também é uma profissional, tem o emprego dela, é diretora de Recursos Humanos de uma empresa de serviços. Será difícil tirar férias assim imediatamente – retruquei.

– A bola está com você – afirmou o presidente. – Uma das coisas que os novos líderes precisam aprender é que liderança não é apenas uma questão técnica para a atividade profissional. O líder eficaz lidera durante 24 horas, no trabalho, em casa, na vizinhança, no clube. Como profissional da área de Recursos Humanos, com certeza ela poderá ajudá-lo nessa missão. A descoberta a dois é sempre muito mais rica do que sozinho. Não podemos mais prescindir da inteligência feminina, que é complementar à racionalidade masculina.

Fiquei de conversar com minha mulher. Não poderia impor uma coisa dessas sem consultá-la. Mas eu estava certo de que saberia ser convincente e que ela aceitaria o desafio, por mais ambígua que parecesse aquela proposta.

Ele fez um gesto de compreensão e se levantou para apertar a minha mão, despedindo-se. Os demais continuaram sentados.

Quando atravessei a porta para sair da sala, sentia-me completamente diferente de como entrara exatamente 65 minutos antes. Estava inspirado por aquele homem. E com a sensação de que ele percebera em mim a centelha do Líder, com "L" maiúsculo.

Minha mulher ficou surpresa quando expliquei a proposta do presidente. Muito me questionou e relutou diante da ideia de se ausentar do seu trabalho por algumas semanas. Levou dois dias para me dar uma posição.

Convencê-la foi meu primeiro desafio – e minha primeira conquista – naquele projeto. Sempre serei grato a ela por sua cumplicidade.

Liguei para o presidente logo cedo e comuniquei a nossa decisão. Claramente satisfeito com a notícia, ele informou que no dia seguinte faria chegar às minhas mãos um envelope com as passagens para São Paulo, a reserva do hotel e uma lista de sugestões de visitas a fazer.

"São Paulo?", pensei comigo. Já conhecia a cidade. Lá eu havia feito um curso técnico na época da empresa de autopeças e participado de algumas feiras de negócios quando trabalhava na franquia de produtos de beleza. A efervescência da cidade sempre me fascinou. Mas agora eu deveria me preparar para enxergá-la com outros olhos.

A viagem seria dentro de três dias. Não havia tempo a perder.

A ansiedade crescia. Na véspera, à noite, começamos a arrumar as malas. Que roupa levar? Quantas camisas? Quantos pares de meia? Que tipo de agasalho escolher para enfrentar a terra da garoa? Só roupas formais ou algumas informais?

TRÊS

O Líder 360 Graus

"Olha a pamonha! Pamonha de Piracicaba! Olha a pamonha!"

O som vinha de uma velha Kombi que eu observava através da janela do táxi. Eram 8h30 da manhã. Estávamos nos Jardins, região nobre de São Paulo, perto do local em que ficamos hospedados, o charmoso Hotel Emiliano. Tínhamos acabado de chegar do Aeroporto de Congonhas, onde desembarcamos cedo, com o sol tentando se impor na névoa característica das manhãs paulistanas.

O motorista da Kombi era um senhor que anunciava a iguaria vinda diretamente de uma cidade a 182 quilômetros de distância da capital. Eu julgava superada essa antiga técnica de publicidade.

Não pude esconder a minha surpresa, afinal estávamos em um dos maiores conglomerados urbanos do mundo, com cerca de 18 milhões de habitantes. São Paulo sempre me encantou por suas opções culturais, sua variada gastronomia e seus grandes contrastes: de um lado, os modernos prédios e as sofisticadas butiques; do outro, o cotidiano popular das favelas, dos flanelinhas e os costumeiros engarrafamentos.

Minha mulher se divertia com o esforço do motorista do táxi, muito simpático, tentando explicar como se prepara uma boa pamonha, feita à base de milho. Ele contou que é preciso conhecer alguns segredos, tais como usar milho verde, limpar bem as espigas, ralar, bater no liquidificador com outros ingredientes e cozinhar lentamente até dar o ponto. E que também é preciso pôr as palhas para ferver, pois elas formam a "embalagem".

– Não é qualquer cozinheiro que sabe fazer – afirmou ele enfaticamente.

Agradeci, pois estávamos chegando ao nosso destino.

Atravessamos as portas de vidro do hotel e, na recepção, já nos aguardava uma mensagem do presidente da empresa. Ele sugeria alguns nomes de líderes que eu deveria conhecer: em suas idas ao badalado Fórum Econômico Mundial, em Davos, na Suíça, quando morava no exterior, assim como em várias outras ocasiões aqui no Brasil, havia ficado impressionado com a qualidade dos líderes empresariais brasileiros. Mencionou Jorge Gerdau, dirigente de várias siderúrgicas, Ivan Zurita, da Nestlé, Luiz Seabra, da Natura, e a grande dama do varejo brasileiro, Luíza Helena Trajano, superintendente do Magazine Luíza.

O presidente já havia comentado que, no Brasil, os executivos se diferenciam pela capacidade de lidar com mudanças frequentes nas regras do jogo econômico e por serem muito criativos e flexíveis. "Os executivos brasileiros que conheço podem dirigir qualquer empresa em qualquer lugar do mundo, nada ficam a dever aos melhores da Europa ou dos Estados Unidos", afirmara ele.

Ele recomendou também que eu não deixasse de levar minha mulher para almoçar no Fogo de Chão, churrascaria que ele havia conhecido em sua última viagem a São Paulo.

Após um breve descanso, saboreamos um farto café da manhã. Saímos para uma caminhada, queríamos relaxar um pouco antes de meter a mão na massa.

Não tínhamos um roteiro definido. Andamos pela Rua Oscar Freire, olhando as vitrines das sofisticadas lojas de roupas, os restaurantes, que àquela hora ainda recebiam suas matérias-primas, as pessoas caminhando apressadamente pelas calçadas.

De repente, vi em uma banca de jornal a capa de uma revista com a foto de Jorge Gerdau, o presidente da Siderúrgica Gerdau, um dos líderes citados no fax do presidente.

– Hora de começar a trabalhar! – exclamei. E comprei a revista para me familiarizar com aquele líder que eu tentaria conhecer um pouco mais de perto.

Lendo a matéria, descobri que a Gerdau foi criada em Porto Alegre, em 1901, pelo bisavô materno de Jorge, um imigrante alemão que havia saído de Hamburgo em 1869. Nascida a partir de uma fábrica de pregos, era uma empresa familiar estável, que só enfrentou dificuldades nos anos 1940, durante a Segunda Guerra Mundial. Num lance audacioso, o pai de Jorge, Curt Johanpeter, que liderava o negócio nessa época, comprou a Siderúrgica Rio-grandense para contornar o problema do suprimento de aço e assim produzir os pregos.

Aos 14 anos de idade, Jorge começou a trabalhar na fábrica nas férias escolares, operando máquinas e convivendo diretamente com os operários, o que por certo lhe deu uma visão realista e pragmática da vida empresarial. Passou por todos os setores, desde que se formou em Direito, em 1961, até assumir a presidência da siderúrgica, em 1983.

Hoje, o Grupo Gerdau engloba quase duas dezenas de empresas de metalurgia e siderurgia que produzem milhões de toneladas de aço por ano e empregam milhares de pessoas no Brasil, Uruguai, Argentina, Chile, Estados Unidos e Canadá.

Assim como há 30 anos cresceu com a aquisição de fábricas em São Paulo, Pernambuco e Rio de Janeiro – quando a direção da empresa entendeu que era preciso sair do Rio Grande do Sul –, no final da década de 1980 a Gerdau ultrapassou as fronteiras do Brasil para não perder competitividade. E a ousadia lhe valeu a mudança de patamar.

Mas o sucesso da companhia se deve também a algo intangível: o compromisso com a qualidade, expresso nas diretrizes que seu presidente e líder, Jorge Gerdau Johanpeter, procura difundir pelo país.

Chamou logo a minha atenção o fato de que esse líder buscou, desde o início, transcender as paredes de sua empresa. Despertou para a necessidade de liderar também a comunidade empresarial e o setor siderúrgico como um todo. Com 20 e poucos anos, ainda estudante de Direito, já integrava os quadros da Federação das Indústrias no seu estado natal, o Rio Grande do Sul.

Alguns anos mais tarde criou o Programa Nacional de Qualidade e se engajou na busca de soluções para a execução das reformas estruturais necessárias ao Brasil. Foi também um dos líderes fundadores do Movimento Brasil Competitivo (MBC). Depois seu objetivo passou a ser expandir sua lição, agregando eficiência a outras instituições brasileiras, públicas e privadas. Conseguiu realizar várias proezas, entre elas a de reduzir de oito horas para 13 minutos o tempo de espera por atendimento na Santa Casa de Misericórdia de Porto Alegre.

Gerdau também investiu em arte, especialmente na Fundação Iberê Camargo, ajudando a preservar a obra desse artista plástico gaúcho.

Fiquei tão empolgado com as informações que obtive desse líder que tratei de telefonar logo para seu escritório em Porto Alegre, com a intenção de marcar uma entrevista. Sua assistente me informou que ele estava viajando. Como eu ligava de São Paulo, ela me avisou que na hora do almoço ele estaria dando uma palestra na Federação das Indústrias do Estado de São Paulo (FIESP).

Foi o tempo de colocar paletó e gravata e voar de táxi para a sede da FIESP, um arrojado prédio na Avenida Paulista. Quando entrei no salão indicado, o evento estava começando.

As firmes colocações de Gerdau me deixaram impressionado. Percebi o enorme respeito e o prestígio que ele desfrutava entre vários outros líderes empresariais, políticos e comunitários. Cada mensagem dele era recebida com atenção e muita reflexão pelos presentes.

No final da palestra, fui tomar um cafezinho. Um assessor da FIESP comentou, então, que quem não conhece Jorge Gerdau de perto não consegue imaginar que esse "homem de aço", um setentão, ainda pode ser visto surfando nos momentos de folga no seu paraíso particular perto da praia de Garopaba, no litoral do estado de Santa Catarina. Foi um dos pioneiros do surfe no Sul do Brasil na década de 1950, equilibrando-se em pranchões de madeira que mandava trazer de Copacabana. Pratica também hipismo, outra de suas paixões, desde os 9 anos de idade. Seu Jorge orgulha-se de ter sido o único competidor a colocar três cavalos da raça Holsteiner nas Olimpíadas de Atlanta, em 1996. Dois deles receberam medalhas de bronze, uma delas conquistada pelo filho André, que mais tarde seria o escolhido para ser seu sucessor no momento de passar o bastão da empresa.

Diante do interesse na roda de conversa, o assessor da FIESP prosseguiu sua narrativa. Relembrou as palavras de Jorge Gerdau em uma entrevista:

"Tenho a psicose de bater recordes. Sou um ser competitivo e fanático pela qualidade. O esporte nos prepara para enfrentar desafios."

Saí dali feliz com meu dia de estreia. Atravessei a Avenida Paulista e resolvi entrar no Museu de Arte de São Paulo (MASP), fundado em 2 de outubro de 1947 graças à persistência do proprietário dos *Diários Associados*, Assis Chateaubriand, e à dedicação do professor Pietro Maria Bardi, que dirigiu o museu por décadas e foi o verdadeiro "olho" por trás de importantes aquisições do seu acervo. Fiquei sabendo também, através de um cartaz antigo na bilheteria, que o atual prédio do MASP foi inaugurado em um superevento que contou com a presença da rainha Elizabeth, da Inglaterra.

Enquanto observava o edifício, em especial o imenso vão livre projetado pela arquiteta italiana Lina Bo Bardi, liguei para minha mulher, sugerindo que viesse ao meu encontro. Ela chegou quase uma hora depois.

Entramos finalmente no museu e tivemos mais uma bela surpresa. Além de artistas brasileiros, como Anita Malfatti, Pedro Américo, Lasar Segall e Di Cavalcanti, o MASP apresentava uma amostra rica e variada da arte europeia.

Nunca tínhamos visto tantas telas do pintor Renoir em um mesmo local. Além disso, "sobravam" pinturas de outros impressionistas, o ponto alto da coleção: Cézanne, Van Gogh, Toulouse-Lautrec, Degas, Manet, Monet. Encontramos ainda telas assinadas pelo gênio espanhol Pablo Picasso; nomes consagrados da Escola Italiana, como Raffaello Sanzio, Botticelli e Tintoretto; e representantes da Escola Espanhola, como Goya, Velásquez e El Greco.

Depois de duas horas percorrendo os vários andares do museu, decidimos voltar para o hotel.

No caminho, comecei a contar para minha mulher as reflexões que as experiências daquele dia haviam despertado em mim.

Disse que Jorge Gerdau exerce sua liderança com uma visão muito mais ampla do que a tradicional miopia de liderar apenas equipes internas. Ele lidera dentro das "paredes" da empresa e para "baixo", como a maioria dos líderes, mas se diferencia por liderar também "fora" da empresa, para "cima" e para os "lados".

Num rompante, minha mulher exclamou:

– Uau! Então podemos dizer que ele é um Líder 360 Graus!

Exausto, fui deitar pensando nos desafios de líderes como "seu" Jorge, como o de planejar a própria sucessão. Este é o teste máximo de um líder: saber sair de cena no momento certo, exercer sua liderança em outros campos e abrir caminho para o sucessor.

Jorge Gerdau pilotou um dos mais planejados processos sucessórios já realizados em uma empresa familiar brasileira. Talvez só a sucessão de Norberto Odebrecht, empresário pernambucano radicado na Bahia, pelo seu filho Emílio, assim como a do legendário Jack Welch, da GE, nos Estados Unidos, tenham sido preparadas com tanta antecipação. Quase seis anos se passaram entre o aviso de que a sucessão estava começando e o anúncio do nome de André, seu segundo filho, como sucessor!

Eu ainda refletia sobre o grande desafio de Jorge Gerdau quando me lembrei do filme que vira na semana anterior à viagem. Eu havia perdido a oportunidade de assistir no cinema a *Dois filhos de Francisco*, um grande sucesso de bilheteria, e comprei o DVD.

O filme mostra um belo exemplo de superação. Pai de nove filhos, seu Francisco, um pobre lavrador de Pirenópolis, interior de Goiás, sonhava transformar dois deles, Mirosmar José e Emival, em uma famosa dupla sertaneja. Quando Zezé, o filho mais velho, completou 3 anos, ganhou do pai uma gaita. Mais tarde, com o dinheiro que vinha da lavoura, seu Francisco comprou uma sanfona e um violão para os meninos, que àquela altura já formavam a dupla Camargo e Camarguinho.

A família se mudou para Goiânia e passou a morar em um barraco de dois cômodos. Seu Francisco arrumou emprego como servente de obra. Dona Helena, sua mulher, trabalhava como lavadeira. Após muita labuta e o treinamento prático dado pelo pai, a dupla conseguiu certo grau de sucesso no interior do país, mas um acidente automobilístico pôs fim à vida de Emival e à carreira da dupla.

Mirosmar tentou outros empregos até se transformar no cantor Zezé Di Camargo. Mas a fama só veio depois de formar nova dupla, dessa vez com seu irmão caçula, Welson, que passou a ser chamado de Luciano. Assim, os dois realizaram o sonho do pai e da mãe.

O exemplo de seu Francisco foi fundamental para o sucesso dos filhos. Dona Helena, de forma silenciosa, exerceu sempre grande influência sobre toda a família. Pode-se afirmar que eles foram a "régua e o compasso" na formação dos filhos. Ambos souberam liderar nos momentos mais difíceis.

Seu Francisco sempre foi determinado e perseverante. Conseguiu levar a música para dentro da sua casa muito humilde e isolada do resto do mundo, quando ainda moravam na zona rural, fazendo verdadeiras "gambiarras" com fios elétricos na estrada de barro para ligar seu velho rádio. Ensaiava com os filhos usando uma enxada como se fosse um microfone fixo e fazia os dois cantarem para um público imaginário.

Muitos anos depois, a dupla fechou contrato com a gravadora Copacabana. O repertório já estava definido. Mas, quando faltava um dia para entrar no estúdio, Zezé teve um estalo e compôs o que viria a ser o seu grande sucesso – "É o amor". Insistiu com os executivos da gravadora e acabou conseguindo incluir a faixa no LP.

Antes mesmo de o disco sair, Zezé Di Camargo deixou uma fita com essa música na rádio Terra FM de Goiânia. Perseverante, seu Francisco valeu-se de um discutível truque: comprava 500 fichas telefônicas por semana e as espalhava pela vizinhança. Então dizia às pessoas que ligassem para a rádio e pedissem a música que seus meninos haviam acabado de gravar. Em 15 dias "É o amor" se tornou a música mais pedida da cidade, graças à demanda que ele criou.

O esforço de seu Francisco deu resultado. Em 2003, a dupla Zezé Di Camargo e Luciano foi agraciada com o Grammy Latino, como melhor álbum de música sertaneja. No ano seguinte, receberam outro Grammy, na categoria de música romântica.

As ideias estavam fervilhando na minha cabeça. Mesmo assim, o cansaço foi mais forte e acabei dormindo.

Voltei ao assunto na manhã do dia seguinte. Minha esposa e eu começamos a comparar as curiosas histórias de seu Jorge e de seu Francisco.

Um cosmopolita, o outro provinciano. Um sabia falar três idiomas – espanhol, inglês e alemão — além do português. O outro mal sabia escrever seu nome na língua materna. Um era capitão de indústria; o outro, lavrador e depois operário da construção civil na cidade grande. Um nasceu no seio de uma família de imigrantes; o outro era um pau de arara. Ambos líderes!

Por meios completamente diferentes, seu Jorge e seu Francisco influenciaram a vida de milhares de pessoas. Tinham uma causa definida. Estavam empenhados em formar líderes. Ambos lideraram "fora" de seus círculos restritos. Seu Francisco lutou para convencer radialistas, políticos e empresários a apostarem no talento dos seus meninos.

Voltamos ao quarto para organizar melhor nossa agenda. Acessamos nossos e-mails. Nenhuma novidade. Fomos andar um pouco no lindo e movimentado Parque do Ibirapuera.

Mais tarde almoçamos na churrascaria Fogo de Chão, seguindo a sugestão do presidente da minha empresa. Eu continuava a fazer minha análise das características da liderança dos nossos dois heróis quando minha mulher me interrompeu, chamando minha atenção para a decoração e a simpatia dos garçons. O maître sugeriu pratos especiais. Falou com entusiasmo sobre seu local de trabalho. Parecia muito motivado.

Quando ele se afastou, resolvi testar o discurso do maître e perguntei ao garçom que nos servia se ele estava satisfeito com seu trabalho. Ele respondeu que sim e foi logo contando sua história. Começou como ajudante na cozinha. Estava progredindo. Sonhava ir para uma das filiais no exterior. Não poupou elogios ao dono da churrascaria:

– Ele nos ensinou a encarar o trabalho como um prazer, e não como uma obrigação – afirmou.

Enquanto almoçávamos, comentei com minha mulher como havia ficado impressionado com a história dos dois filhos de seu Francisco. Ela lembrou que havia lido um interessante relato de Luciano, o irmão mais novo de Zezé Di Camargo, no livro *O que aprendi com meu pai*, que ganhara de presente de uma amiga:

"Quando éramos crianças, morávamos numa casa bem pequena. O dinheiro era pouco, a luta era grande e a sabedoria do velho Chico, maior ainda", contava Luciano.

Um dia, falou com o pai que precisava trabalhar, mas não sabia bem o que fazer:

"Pai, quero brilhar como Zezé, meu irmão", disse.

Ao que seu Francisco respondeu:

"Já sei o que você pode fazer, Welsinho."

À noite, levou para casa uma caixa de engraxate que montaram juntos e seu Chico anunciou:

"Welsinho, aqui está o seu material de trabalho. Seu primeiro ofício será o mais nobre de todos: dar brilho aos passos dos outros. Sabe por quê? A gente só aprende a brilhar quando dá luz aos caminhos do próximo."

Ficamos em silêncio, pensando naquela lição de sabedoria e humildade.

Assim que acabamos a sobremesa, um belo prato de abacaxi com raspa de limão – uma delícia! –, o maître contou a história de Arri Coser, o simpático e bem-humorado empresário dono de uma rede de restaurantes que empregam, no total, mais de mil funcionários.

O sonho de Arri era ser piloto de avião. Aos 14 anos, veio do Rio Grande do Sul para o interior de São Paulo com o objetivo de estudar. Precisava trabalhar para pagar seus estudos e se empregou como copeiro em uma churrascaria na cidade de Guaratinguetá, a 178km da capital paulista. Mal desconfiava que seu destino era pilotar não aviões, mas um negócio muito bem-sucedido, hoje premiado por várias revistas especializadas em gastronomia do Brasil e dos Estados Unidos.

Seu irmão Jair era seminarista e fora designado para atuar em Aparecida do Norte, onde se localiza o santuário de Nossa Senhora Aparecida, a padroeira do Brasil. A cidade fica a cerca de 10km de Guaratinguetá, onde estava Arri.

Em pouco tempo, Jair largou a batina e ambos iniciaram uma parceria que mudaria suas vidas. Antes, porém, de inaugurarem seu primeiro negócio, fizeram um treinamento de três anos. Foram trabalhar em várias churrascarias em São Paulo e no Rio de Janeiro. Passaram por praticamente todas as funções nesse ramo.

A Fogo de Chão nasceu em Porto Alegre. Sua proposta era oferecer um típico churrasco gaúcho, com a apresentação de música e dançarinos. Cada refeição seria transformada em uma festa. A qualidade da comida, o atendimento diferenciado e o clima festivo contribuíram para a boa aceitação da empresa.

– O negócio cresceu porque sempre soubemos ouvir a clientela. É ela quem dá os conselhos mais sábios – disse o maître. E acrescentou: – A empresa também sempre soube oferecer oportunidade de crescimento a todos, por meio de treinamento e cursos que nos capacitam a passar por todas as funções a fim de conhecermos todo o processo de produção.

Soubemos que, diariamente, os maîtres e gerentes das unidades analisam o que aconteceu, de bom e de ruim, no dia anterior. Essa é uma das fórmulas de sucesso desse empresário.

Após dois cafezinhos, pedimos ao maître que chamasse um táxi.

Fomos direto para a Catedral da Sé, uma construção imponente no centro da cidade, na praça onde fica o Marco Zero de São Paulo. Minha mulher havia lido no jornal que naquele dia o Dalai-Lama, que estava no Brasil, participaria de uma cerimônia religiosa e endereçaria uma mensagem aos fiéis na famosa catedral.

Sua Santidade, o 14º Dalai-Lama, é um dos mais fascinantes líderes mundiais. Nasceu em uma família de agricultores na aldeia de Takster, no leste do Tibet, e aos 2 anos de idade foi reconhecido por monges como a reencarnação da autoridade máxima do budismo tibetano.

Aos 4 anos, separado da família, mudou-se para o Palácio de Potala. Após uma rigorosa preparação – que incluiu o estudo de história, filosofia e religião –, assumiu o cargo de líder espiritual em 1950, ano em que a China invadiu o Tibet. Obrigado a se exilar na Índia em 1959, foi seguido por 80 mil tibetanos.

Até hoje o Dalai-Lama luta de forma pacifista pela emancipação do seu país e peregrina pelo mundo pregando o amor, a dignidade e a humildade. Vive de acordo com as "Oito Regras de Vida" do Buda, sendo a primeira delas a crença de que a Verdade é o guia do ser humano. Tem diversos livros publicados e é um símbolo vivo de perseverança e da luta incessante por uma causa que já mobilizou várias personalidades em todo o mundo.

A cerimônia na Catedral da Sé extrapolou completamente as nossas expectativas. Esperávamos ouvir uma mensagem do Dalai-Lama e, se possível, vê-lo de perto. Mas presenciamos um momento peculiar, um culto ecumênico com a participação de vários líderes religiosos. Foi uma celebração inter-religiosa promovida pela Arquidiocese de São Paulo. Sentaram-se lado a lado sete líderes: o então arcebispo de São Paulo, Dom Cláudio Hummes, anfitrião da cerimônia; o rabino Henry Sobel, da Congregação Israelita Paulista; o reverendo Stanley da Silva Moraes, representante do Conselho Nacional de Igrejas Cristãs; o sheik Armando Hussein Saleh, representante da religião islâmica; o hare krishna Swamim; a mãe de santo Ebomi Conceição, do Instituto da Tradição e Cultura Afro-brasileira, presença de maior surpresa; e o Dalai-Lama, cujo nome de registro é Tenzin Gyatso.

Minha mulher e eu estávamos emocionados e perplexos diante daquelas imagens que acompanhávamos ao vivo. Jamais imaginamos que um dia participaríamos de um momento mágico como aquele. Numa época em que guerras e conflitos em várias regiões do mundo são motivados não apenas por interesses econômicos, mas muitas vezes por divergências religiosas, aqueles líderes estavam unidos por uma causa maior: a paz! Independentemente das crenças individuais, os sete juntos pareciam dizer que um Deus maior os unia em defesa da paz e do amor. Davam um exemplo excepcional, que deixava clara a diferença entre religiosidade e religião.

Saímos dali em silêncio, de mãos dadas e felizes por saber que naquele breve momento a cidade de São Paulo foi o centro do Universo.

Fomos dormir assim que regressamos ao hotel. No dia seguinte iríamos visitar a Nestlé, uma das multinacionais mais bem-sucedidas do mundo. Consegui agendar uma série de reuniões ali, utilizando para isso o nome do presidente da minha empresa.

Com o espírito reconfortado pela celebração inter-religiosa que presenciamos à tarde, estava agora muito interessado em entender uma causa bem mais terrestre – a reviravolta ocorrida na Nestlé do Brasil a partir do momento em que Ivan Zurita assumiu seu comando. Mas isso ficaria para o dia seguinte.

QUATRO

O Líder Empreendedor

"Temos que ganhar o jogo todos os dias. Um dia após o outro."

Foi com essas palavras que Ivan Zurita, presidente da Nestlé do Brasil, iniciou a entrevista na matéria que apontou a Nestlé como a Empresa do Ano no Brasil.

Não foi por acaso. Esse é um dos mantras favoritos de Zurita para motivar os milhares de funcionários espalhados em mais de 20 fábricas da Nestlé no Brasil.

Desde que assumiu a presidência da empresa em meados de 2001, após o enorme sucesso liderando a operação no México, ele deixou clara a profunda mudança com a qual pretendia reverter a situação que motivara o convite para que assumisse a filial brasileira. Algumas palavras de ordem passaram a ser "chega de feudos" (áreas como Vendas, Comercial e Marketing passaram a trabalhar mais integradas); "volta às bases" (diretores deixaram seus escritórios no andar da presidência e se instalaram onde trabalhavam suas equipes), e "o negócio é agilizar" (a velocidade para atender às demandas voltou a ser praticada).

Zurita também não economizou palavras para deixar claro que queria ver o seu pessoal o tempo todo visitando os clientes e os pontos de vendas, e não trancafiado nos escritórios. Ele próprio procurava fazer o que pregava. Tinha prazer em contar, por exemplo, que havia estado em um mercadinho em Pirambu, um bairro da periferia de Fortaleza, e percebido que a loja, apesar de não ter geladeira, acabara de receber um carregamento de iogurtes. Perguntou, imediatamente, ao dono da loja onde ele iria guardar os produtos. O microempresário respondeu que não era necessário armazenar, pois estava tudo vendido, e seus fregueses logo, logo começariam a chegar para buscar a mercadoria.

Ele sabia que seria necessário um tremendo esforço em todas as frentes para recolocar a Nestlé nos trilhos. Afinal, nos últimos anos, a empresa havia perdido muito do seu viço. Havia se acostumado a ser líder e, por isso, se acomodado. Os concorrentes, não. Além dos habituais, surgiram as chamadas "marcas talibãs", baratas, filhas da informalidade. Para piorar a situação, o centro de gravidade nas relações do varejo estava mudando do fabricante para as grandes redes de supermercados. E o resultado de tudo isso? Suas receitas haviam caído significativamente e a fatia de mercado de produtos tradicionais estava descendo a ladeira a passos largos.

Nascido em 1953 em Araras, no interior de São Paulo – cidade onde também nasceu a primeira fábrica da Nestlé no Brasil –, Ivan Zurita é uma autêntica "prata da casa" e uma evidência de que santo de casa também pode fazer milagres. Sua história sempre esteve vinculada à da empresa. Ele poderia ter continuado cuidando dos negócios agropecuários da família, mas preferiu, ainda muito jovem, fazer um concurso para entrar na Nestlé – onde trabalhava o pai de sua mulher, Beatrice, que na época ainda era sua namorada. Começou na multinacional entrevistando consumidores na rua, como estagiário do setor de Pesquisa de Mercado. Em 1973 passou a trabalhar na área de Vendas e depois virou gerente de produtos. Transitou em vários cargos em países da América Central e outros como o Chile, a Argentina e, por último, o México. Quando assumiu a presidência da filial da empresa no Brasil, estabeleceu para si mesmo e para toda a sua equipe um desafio bastante ousado: dobrar o faturamento da empresa em cinco anos. O que para muitos parecia inatingível foi alcançado antes do prazo. Para ele, não foi uma grande novidade. O fato que o credenciara em Vevey, na Suíça – onde fica a matriz da multinacional que opera em mais de 80 países –, a ser convidado para virar a mesa no Brasil é que três anos depois de assumir a filial mexicana ele havia dobrado seu faturamento.

Ivan reposicionou a Nestlé do Brasil: a filial brasileira passou a ser a segunda operação mundial da Nestlé em volume e a quinta em faturamento.

Mas as métricas do seu sucesso na reviravolta da Nestlé não foram apenas os resultados quantitativos de volume, faturamento e rentabilidade.

Sob seu comando, a empresa passou a investir em projetos sociais com um enfoque diferenciado. Criou o projeto Nutrir, um programa de educação alimentar que é o carro-chefe dos projetos de cidadania da Nestlé, a partir de uma provocação que passou a fazer aos seus diretores: "Somos a maior empresa de alimentos do mundo. O que podemos fazer na área social que seja equivalente a isso?"

Ele liderou a quebra de um dos paradigmas da empresa ao passar a vender também para as classes C, D e E, onde se situa cerca de 85% da população brasileira. Consciente de que o Nordeste sempre foi um bom mercado para seus produtos, Ivan tomou uma decisão corajosa: a construção de uma fábrica e de um centro de distribuição em Feira de Santana, na Bahia.

"A minha principal conquista foi rejuvenescer a companhia",

diz, satisfeito, Ivan. Ele criou mais oportunidades de crescimento na empresa, reduzindo de dez para dois anos o tempo de espera por uma promoção. Está empenhado em deixar como legado um patrimônio humano capacitado, ágil e empreendedor. Conseguiu alavancar o orgulho e a autoestima das pessoas que lá trabalham.

Premiado por várias associações e diversos órgãos da mídia, respeitado pelos acionistas, reverenciado pelos concorrentes, Ivan Zurita é também fonte de inspiração para os que com ele convivem, que não escondem sua admiração: "Ele é um líder inspirador, um campeão!"

Saímos do 18º andar do prédio da Nestlé em silêncio. No elevador, ouvimos a conversa entusiasmada de um grupo de funcionários. Ao atravessar o pátio do estacionamento da Nestlé para pegar um táxi, comentei com minha mulher algumas características da liderança de Ivan Zurita:

– Ele definiu com clareza algumas causas, liderou a empresa não só aqui dentro mas, a partir de seus acionistas, também em Vevey, investiu na comunidade, entregou resultados surpreendentes em pouco tempo e está formando uma nova geração de líderes – afirmei, enumerando nos dedos cada uma das suas realizações.

Ela concordou, sorriu e acrescentou o que julgava ser o mais importante:

– Ele é um líder que inspira sua equipe não apenas pelos valores universais da empresa, mas também por um conjunto de atitudes e posturas locais, bem apropriadas para a situação. E mais: dando o exemplo, em vez de ficar só no discurso.

– Zurita é mais que um Líder 360 Graus – disse eu, arrematando a conversa, quando já chegávamos ao hotel.

No dia seguinte, acordamos bem cedo para viajar para São José dos Campos, a quase 100 quilômetros da capital paulista, onde fica a sede de outra multinacional, desta feita verde-amarela. A Embraer, conhecida fabricante brasileira de aviões, também passou por uma grande transformação a partir de 1995.

Na época, a empresa se encontrava com dívidas altas, vendas estagnadas e funcionários desmotivados. Em uma década, a Embraer se transformou na terceira maior fábrica do ramo de aviação comercial do mundo. Tornou-se a empresa brasileira de alta tecnologia com maior participação no mercado internacional.

Foi preciso mudar a cultura da empresa, dotá-la de maior dose de empreendedorismo e ousadia e de uma causa – transformá-la em uma empresa de classe mundial – para turbinar a equipe, em grande parte formada por competentes engenheiros capacitados no conceituado Instituto Tecnológico de Aeronáutica (ITA).

Parte da nova cultura passou a ser a crença de que os clientes valorizam muito quem oferece a solução integrada para suas necessidades, e não apenas produtos de qualidade. Uma evidência dessa nova forma de pensar é exemplificada na área de assistência técnica e manutenção. Durante um evento em um resort na Bahia no qual havia participado havia algum tempo, um dos funcionários da Embraer contou que a empresa montou megaoficinas na Ásia, na Europa e nos Estados Unidos, seus maiores mercados consumidores. Chegou a dizer, brincando, que a solução foi fazer o que sugere Milton Nascimento, em “Nos bailes da vida”: “Todo artista tem de ir aonde o povo está.” Traduzindo: a empresa tem de estar onde estão seus clientes!

Na viagem de volta para a capital paulista, enquanto pensava na transformação da Embraer na tão sonhada empresa de classe mundial e revia os passos de Ivan Zurita – que mudou a cara da Nestlé, introduziu a marca em nichos impensáveis e fez da empresa uma das joias da coroa do grupo –, cheguei à conclusão de que essas reviravoltas não acontecem apenas em grandes empresas, capitaneadas por líderes formados em instituições famosas. Às vezes, o espírito empreendedor, a determinação, o foco e os valores praticados por uma pessoa dispensam a necessidade do diploma e se constituem em alavancas do sucesso da liderança.

Fiquei remoendo essa ideia em minha mente até que tive a chance de comprová-la na prática. Atendendo a uma outra sugestão do presidente da minha empresa, viajamos para o Rio de Janeiro, onde imaginei que certamente encontraríamos um bom exemplo de empreendedorismo.

Lembrei-me do SEBRAE, um centro de apoio a pequenas e médias empresas, e liguei para lá a fim de saber onde poderia encontrar um líder de uma empresa de médio porte de sucesso. Após uma série de perguntas para se certificarem da seriedade de meus propósitos, eles me indicaram Heloísa Helena Belém de Assis, a Zica, dona de um salão de cabeleireiros, o Beleza Natural.

Voamos de ponte aérea para a Cidade Maravilhosa em um sábado, véspera do dia em que assistiríamos a um jogo entre o São Paulo Futebol Clube e o Vasco da Gama, em pleno estádio do Maracanã.

Na chegada ao Rio de Janeiro, desfrutamos uma vista já nossa conhecida mas, ainda assim, de tirar o fôlego, à medida que o avião se aproximava do Aeroporto Santos Dumont. Lá do alto avistamos a bela Baía de Guanabara; o Corcovado, com a célebre imagem do Cristo Redentor de braços abertos, instalada em um morro, a cerca de 700 metros de altura; e o estádio majestoso, palco de algumas das maiores jogadas do futebol durante décadas.

Deixamos a bagagem no hotel e fomos nos encontrar com a Zica. Ela não se fez de rogada e foi logo contando que começou a trabalhar como babá aos 15 anos de idade. Aos 21, vendia cosméticos. Tornou-se empresária aos 32 anos. Negra, bonita, simpática, era uma eterna insatisfeita com seus cabelos crespos sempre rebeldes. Os cachos não assentavam nem mesmo usando os produtos que ela vendia.

Um dia, Zica resolveu misturar os produtos e testar várias combinações em seus cabelos, tornando-se cobaia dos seus experimentos. O resultado inicial foi um desastre: os fios caíram. Quase desistiu. Enfim conseguiu produzir um composto capaz de relaxar seus cabelos crespos.

Zica abriu o primeiro salão e teve um bom resultado. As amigas falaram para outras amigas. Apareceram as primeiras filas. Ela então resolveu se profissionalizar. Passou a produzir mais. E o negócio começou a decolar.

Hoje, o Beleza Natural tem várias filiais, por onde passam milhares de clientes todo mês. O produto para relaxar cabelos crespos foi patenteado e só pode ser usado no seu salão de beleza. Zica tem uma fábrica que produz algumas toneladas desse cosmético por mês. A fórmula é um segredo tão bem guardado que me fez lembrar o mistério que cerca o xarope que dá origem ao refrigerante mais conhecido no mundo inteiro, a Coca-Cola.

Embora não revele a fórmula química de seu produto, Zica não faz segredo de sua fórmula empresarial:

– Criar algo para levantar a autoestima das mulheres – diz a jovem líder de negócios, abrindo um largo sorriso. – Esta é a missão do Beleza Natural. Essa foi a causa que abracei, e o sucesso é o resultado dessa proposta.

Assim como Zica fez acontecer no campo empresarial, o líder pode fazer acontecer em várias dimensões da vida – no esporte, na dança, no mundo artístico. Tive a chance de comprovar essa tese na visita que fizemos ao galpão de uma escola de samba, onde ficamos sabendo de detalhes da vida de um líder inusitado – Joãosinho Trinta, o maior carnavalesco do país, que veio do Maranhão para o Rio de Janeiro com o sonho de se tornar bailarino.

Ele contou que dirigiu quase quarenta desfiles à frente de várias escolas: Salgueiro, Beija-flor, Viradouro e Grande Rio. Ganhou muitos títulos. Para isso, teve de liderar não apenas o desfile naqueles 90 minutos de glória na Marquês de Sapucaí, onde fica a "Passarela do Samba".

Joãosinho Trinta liderou fora da escola. Liderou os políticos, os líderes comunitários, os cartolas. Teve que liderar pessoas difíceis, artistas, gerenciar vaidades. Liderar a imprensa, os formadores de opinião.

– Foi preciso ser um Líder 360 Graus – eu disse baixinho para minha mulher.

E sempre defendendo uma causa nobre. Ele afirmou em uma entrevista que "um desfile é a soma de talentos apaixonados que produz o maior espetáculo da Terra". Segundo ele, a vitória depende de muitos fatores e da diversidade de talentos.

Por isso Joãosinho Trinta nunca deixou de valorizar os empurradores dos carros alegóricos:

– Não recebem os aplausos da torcida nem a atenção dos fotógrafos e das câmeras de televisão. Mas são eles que fazem força enquanto os outros sambam – disse.

Para enchê-los de brios, o carnavalesco se reunia com os empurradores de carros antes de se encontrar com os demais para contar o enredo. Também desenhava uma fantasia especial para o grupo.

– Aí eles ganham mais força para fazer o seu trabalho e puxar as cordas – justificou-se.

Joãosinho também citou o exemplo da bateria da escola, formada por mais de 300 homens que nunca tocaram juntos antes porque o local dos ensaios não comporta todos:

– Quando se encontram no desfile acontece uma incrível harmonia. Trata-se de um verdadeiro milagre! Por mais que os mestres se esmerassem não seriam capazes disso sozinhos. Só conseguem porque todos estão interessados em fazer o melhor, que a alegria seja de toda a escola.

Bela lição de liderança. Ah! Como a maioria dos gerentes das empresas gostaria de conseguir esse tipo de sinergia entre os membros de suas equipes.

Pegamos no sono enquanto fazíamos planos para o dia seguinte, quando iríamos ao estádio do Maracanã.

Era domingo e estávamos felizes ali, assistindo a muito mais do que um jogo de futebol – apreciávamos a beleza das torcidas organizadas, as arquibancadas lotadas fazendo a ola, movimento sincronizado dos torcedores em forma de onda que se agita de um lado a outro do estádio. Um verdadeiro espetáculo! Chegamos cedo, e ver aquele teatro ao ar livre se enchendo ruidosamente foi contagiante.

Sugeri a minha mulher que observasse em especial o goleiro do São Paulo, Rogério Ceni. Logo no começo do jogo, ele fez duas ou três boas defesas e de repente lá estava ele no ataque, chutando uma falta a favor de seu time. Vibrava, gesticulava muito, vinha até a beira do gramado ouvir orientações do técnico.

Ceni se distinguia dos outros não apenas por suas qualificações técnicas, mas pela forma como se comportava.

No intervalo do jogo, vi alguns garotos com a camisa do Vasco correrem em sua direção para tirar uma foto ao seu lado. Como líder diferenciado que é, Ceni conquistou o respeito até mesmo dos torcedores do time adversário.

Ou seja, ali estava alguém que não fica confinado ao papel que se espera dele. Rogério Ceni, na verdade, desempenhava três papéis: o de goleiro; o de artilheiro, cobrando faltas e pênaltis; e o de líder dentro do campo, apoiando o seu líder fora do campo, o técnico.

Regressamos à capital paulista no início da noite, satisfeitos pelas experiências produtivas que tivemos no Rio. Minha mulher e eu continuamos trocando ideias e voltamos às comparações, desta vez entre Zica e Rogério Ceni. O que eles tinham em comum?

Ao chegar ao hotel, recostei-me na cama para descansar um pouco, enquanto minha mulher foi tomar um banho. Liguei a televisão e fiquei "zapeando" canais, sem me decidir por nenhuma das atrações. Até que um programa de entrevistas chamou minha atenção. A entrevistada era uma senhora de mais de 70 anos, de olhar tranquilo. Suas respostas eram intercaladas com imagens de crianças em locais de recursos limitados.

Era a Dra. Zilda Arns, outro exemplo de liderança fora do mundo empresarial. Médica pediatra e sanitarista bastante conhecida, ela é fundadora e coordenadora nacional da Pastoral da Criança, organismo de ação social da Conferência Nacional dos Bispos do Brasil. Foi cinco vezes indicada ao Prêmio Nobel da Paz.

A grande missão de Zilda é liderar o trabalho voluntário de mais de 200 mil pessoas na grande causa que abraçou: levar orientação e solidariedade a mais de 1,3 milhão de famílias pobres, acompanhadas todos os meses em ações básicas de saúde, nutrição, educação e cidadania, independentemente de cor, raça, orientação religiosa ou política.

Tudo começou durante uma conversa informal entre o então secretário executivo do UNICEF e o cardeal Dom Paulo Evaristo Arns, irmão de Zilda, na época responsável pela arquidiocese de São Paulo. O secretário disse que a Igreja poderia reverter a situação da mortalidade infantil no Brasil. Quando voltou ao país, Dom Paulo procurou a irmã para narrar o teor dessa conversa.

Em pouco tempo nascia a Pastoral da Criança, a partir de um projeto feito pela própria Zilda e apoiado pelo UNICEF. Para a primeira experiência foi escolhido o município de Florestópolis, no Paraná, onde o índice de mortalidade chegava a 127 mortes em cada 1.000 crianças nascidas vivas. Após um ano de atividade, esse índice caiu para 28 em 1.000.

Reconhecida por sua eficiência, a entidade está servindo de modelo para vários países da África, América Latina e Ásia. E, paralelamente, o trabalho de Zilda Arns como médica e administradora conquistou diversos prêmios nacionais e internacionais. Ela revelou que pretende passar o bastão da coordenação da Pastoral da Criança, cargo que exerceu durante mais de duas décadas. Mas não vai se afastar de vez. Pretende se dedicar mais aos projetos internacionais da ONG e vai tentar dar mais substância à Pastoral da Pessoa Idosa, iniciativa ainda embrionária. "As crianças e os idosos são as pontas mais frágeis da nossa sociedade", diz ela.

Quando lhe perguntaram por que está deixando a coordenação da Pastoral da Criança, ela não pensou duas vezes para responder:

– Ela já está consolidada, muito organizada. Quero dar oportunidade para outros conduzirem os trabalhos!

A trajetória dessa grande líder me fez pensar sobre a forma eficaz como pode ser desempenhada a liderança comunitária, e eu me perguntei se haveria diferenças entre o exercício da liderança em uma empresa privada, uma instituição pública e uma organização não governamental.

Estava satisfeito com os resultados dessa primeira etapa do trabalho, mas ainda teria que ir a um evento para me encontrar com o líder de uma empresa localizada na região amazônica, a MASA, que havia sido reconhecida como "A Melhor Empresa para se Trabalhar no Brasil", prêmio concedido a partir de votação realizada entre os próprios funcionários.

Essa informação instigou minha curiosidade. Decidi conhecer de perto o líder que fez de uma empresa localizada fora do eixo Rio-São Paulo-Minas Gerais, os três maiores pólos industriais do Brasil, o melhor lugar para se trabalhar no país.

Seu nome: Ulisses Tapajós Neto. Ele estava em São Paulo naqueles dias, para participar do VI Fórum de Presidentes, promovido pela Associação Brasileira de Recursos Humanos (ABRH). Na noite anterior, recebera uma homenagem pelo prêmio conquistado pela MASA. Uma proeza e tanto para uma empresa localizada na antessala da floresta Amazônica.

Fui até o Fórum dos Presidentes acompanhado de minha esposa e tive a grata oportunidade de conversar com esse importante líder empresarial, o único manauense a presidir uma empresa de porte no Pólo Industrial de Manaus.

O primeiro sonho de Ulisses Tapajós Neto foi o de montar um restaurante para o seu pai, que trabalhou como garçom durante 30 anos. Formou-se em Engenharia Química no Paraná e começou a atuar em projetos de construção no pólo de Manaus. Ajudou na implantação da Cervejaria Manaus, da Moto Honda e da Multibrás, que depois se transformou na MASA, empresa que dirige desde 1993.

Em 2000, aos 53 anos, fez um MBA com foco em gerenciamento de equipes por ter a convicção de que nunca é tarde para aprender.

– Trocando experiências com outros executivos – disse ele –, entendi com muito mais clareza que as pessoas gostam de ser respeitadas, valorizadas, desafiadas, reconhecidas e recompensadas.

Ulisses assumiu a presidência da empresa com a missão de fechá-la. Mas reinventou a MASA. Promoveu uma grande reviravolta e foi o principal articulador da sua venda para a Flextronics, companhia norte-americana de peças plásticas.

– Toda mudança gera desconforto – disse ele ao justificar sua decisão de explicar o processo, as vantagens e os desafios da venda da empresa aos cerca de 1.000 funcionários, em várias e sucessivas reuniões. Ele conhece, sem exceção, cada um deles pelo nome e pela função que exerce.

À medida que a conversa avançava, ficava claro que a conquista desse prêmio não havia sido por acaso. Ulisses perseguiu esse sonho. Elaborou um plano detalhado de ação, com metas específicas para cada ano. Ele é um belo exemplo de líder que sabe inspirar pelos valores que defende, pelo intangível – algo que as pessoas não tocam nem veem, mas sentem.

Diferentemente da maioria dos líderes que apostam apenas em valores tradicionais como remuneração, benefícios, cargos, etc., Ulisses também investiu em credibilidade, respeito, imparcialidade, orgulho e camaradagem, que formam os pilares de uma boa empresa para se trabalhar.

Ele criou um código de conduta e ética para orientar a postura e a atitude de seus colaboradores. Incentivou projetos de capacitação e de formação acadêmica e procurou melhorar a qualidade de vida dos funcionários, estendendo a relação que eles têm com a empresa às suas famílias.

A MASA ainda ganhou outro prêmio, o de Empreendedorismo

Corporativo, sendo reconhecida como a empresa que mais estimula seus funcionários a colaborarem para o processo de inovação.

Esses dois prêmios, concedidos por duas instituições independentes, atestam uma enorme coerência na cultura da empresa.

Mais de 10 mil ideias já foram sugeridas pelos funcionários e estão sendo implantadas. Uma dessas iniciativas é inusitada: a empresa oferece cursos profissionalizantes para familiares de funcionários e um kit básico para que possam iniciar um pequeno negócio e assim aumentar a renda familiar.

– Valorizar as pessoas é a nossa marca! – salientou Ulisses. – Importante, também, é respeitar e agregar valor à comunidade e ao meio ambiente.

Lembrei-me de algo que havia muito tempo martelava minha cabeça: a antiga crença de que "o segredo é a alma do negócio". Mais recentemente, os marqueteiros haviam se encarregado de difundir que "a propaganda é a alma do negócio". Saí do encontro com Ulisses Tapajós convencido de que, na realidade, "a alma é que é a propaganda do negócio". Ou seja, a cultura – o conjunto de valores de uma família, de uma empresa, de um país – é o divisor de águas no exercício da liderança e, consequentemente, o que separa o sucesso do fracasso.

O conjunto de valores que deveria servir de guia para a interação de líderes e liderados é a variável menos explicitada e, muitas vezes, a mais negligenciada no exercício da liderança.

Vivemos em uma sociedade na qual a maioria das famílias, empresas e nações supervalorizam o resultado obtido. Por exemplo, as notas na escola, frequentemente, são o que mais conta para definir a relação entre pais e filhos. O lucro de uma empresa é o que determina quase sempre a relação entre chefes e subordinados. O número de votos obtidos e o índice de popularidade são a grande medida dos políticos.

Aprendi com Ulisses que o resultado não é a única coisa que importa; deve-se observar a forma como o resultado é obtido. E ainda o modo como o resultado obtido é utilizado: serve apenas para aumentar a riqueza dos acionistas? Ou também agrega valor aos que ajudaram a criar a riqueza e dá algum retorno à comunidade?

Ulisses resumiu seus objetivos:

– Meu papel como presidente da MASA é demonstrar para a Flextronics, nosso acionista, que é possível conseguir resultados por meio de pessoas felizes.

Ou seja, ao explicitar sua crença no binômio resultado/felicidade, Ulisses demonstrou que é parte do seu trabalho liderar também para cima, ou seja, influenciar seus acionistas, e não apenas comandar os colaboradores que trabalham na fábrica em Manaus.

Ele fez questão de realçar que não se trata de paternalismo:

– Minha preocupação – afirmou categoricamente – é ser justo e imparcial!

– Bela lição nos deu esse líder que trabalha em plena Amazônia – eu disse à minha mulher.

Ela sorriu e depois afirmou em tom quase solene:

– Concordo plenamente. O Dr. Ulisses Tapajós usou muito do que aprendeu na faculdade de Engenharia Química para criar toda essa alquimia entre pessoas, acionistas e comunidade e reinventar aquela empresa.

Quando a cerimônia acabou, já era tarde. Eu estava impressionado com vários outros líderes que participaram daquele fórum. Minha mulher conversava com alguns deles: Eduardo Bom Ângelo, então presidente da Brasilprev; Elcio de Luca, que tinha dirigido a Serasa; Luisa Helena, líder do Magazine Luíza; Oswaldo Melantônio, dirigente da Ticket. Uma diversidade muito rica de perfis de liderança. Todos são exemplos do Líder Inspirador que influencia fora, para cima, para os lados e também dentro da empresa. O curioso é que, apesar de dedicarem grande parte de seu tempo a atividades externas às paredes de suas companhias, ainda assim todas estão muito bem posicionadas nas listas de melhores empresas para se trabalhar no Brasil.

Um consultor sentado à nossa mesa começou a falar sobre uma grande firma que atuava em diversos países, a Odebrecht, com sede na Bahia, que se notabilizara, entre outras coisas, por ter criado uma verdadeira Fábrica de Líderes. Minha mulher me deu um leve cutucão e lembrou-me das palavras que o presidente da empresa onde trabalho me dissera no primeiro encontro com ele. E arrematou:

– Esse pode ser o grande diferencial do seu trabalho: ajudar a montar uma Fábrica de Líderes na sua empresa!

Na manhã seguinte, acordamos mais cedo que de costume. Fazia uma semana que estávamos viajando. Eu tinha que mandar um breve relatório para o presidente, com cópia para os outros três participantes daquela nossa reunião.

Não consegui resumir tanta experiência em poucas linhas. Num rompante, decidi mandar, em vez de um relatório formal, estas páginas que estou escrevendo. Anexei este meu "diário de bordo" ao e-mail endereçado a ele e me comprometi a tentar, depois, organizar de forma esquemática o que estávamos aprendendo sobre liderança.

Logo após o almoço, chegou sua resposta:

"Recebi seu e-mail. Parabéns pelo progresso. Deixe para fazer as propostas específicas no final, quando tiver a visão do todo. O relato enviado, mesmo em estado bruto, já dá uma ideia de algumas descobertas bastante úteis. Pode continuar me enviando relatos assim nas futuras viagens. Sobre suas impressões a respeito de São Paulo, o que posso dizer é que a diversidade é uma das características do mundo de hoje. Este é o aparente paradoxo no qual vivemos: um mundo cada vez mais globalizado e cada vez mais customizado. Próxima parada: Tóquio! Ainda hoje enviarei os bilhetes eletrônicos em Classe Executiva, pois a viagem é longa e a reserva de hotel, e minha assistente lhe dará as instruções para a obtenção dos vistos de entrada no Japão. Boa sorte e vá mais fundo!"

– Tóquio?! – exclamei em alto e bom som, olhando para minha mulher.

Cinco minutos depois, já acessava a internet para levantar o máximo de dados sobre o nosso próximo destino. Qual seria o clima nessa época do ano? Quanto tempo de voo?

Na manhã seguinte corremos para o Consulado japonês em São Paulo para as devidas formalidades, o que nos custou mais de duas horas de intermináveis entrevistas, preenchimento de formulários e coisas do gênero. Na saída, uma simpática atendente lembrou-nos que no bairro da Liberdade residem cerca de 1 milhão de japoneses, constituindo a maior colônia fora do Japão. Em tom de brincadeira, ela insinuou que uma breve visita ao local seria uma boa forma de nos familiarizarmos um pouco com os costumes orientais.

Aceitamos a sugestão e nos dirigimos para lá sem demora, pois às 23 horas deveríamos embarcar.

O bairro da Liberdade é surpreendente! Às 13 horas, suas ruas estavam fervilhando de gente. Parecia de fato uma cidade oriental.

Entramos em várias lojas, pequenas mercearias, butiques. Já entardecia quando sentamos em um alegre e barulhento sushi bar para um breve lanche. O dono estava a postos. Voltara havia menos de um mês de Nagoya, cidade natal de seus pais. Alertou-nos de que estava esfriando naquele lado do Pacífico. E, sorrindo, disse:

– Japão bonito. São Paulo bonito. Mundo bonito, né?

Quando o avião decolou às 23h30, minha mulher e eu trocamos aquele olhar de cumplicidade que torna dispensável qualquer palavra. Cada um de nós sabia o que se passava no íntimo do outro.

A aeromoça perguntou qual era nossa opção de prato. Escolhemos apenas uma salada. Pedimos uma taça de vinho tinto. Ela nos serviu Dezém, um excelente vinho feito com uvas cabernet sauvignon cultivadas em Toledo, no Paraná.

Fizemos um longo e silencioso brinde.

CINCO

O Líder "Construtor de Pontes"

"Os times multifuncionais eram necessários para deixar claro que o salvamento da empresa era uma missão de todos."

Lembrei-me dessa afirmativa do franco-brasileiro Carlos Ghosn, presidente da Nissan, no momento em que minha mulher, em pleno voo de São Paulo para Los Angeles – escala obrigatória na viagem para Tóquio –, comentou, com um pequeno dicionário nas mãos, que só sabíamos dizer "obrigado" em japonês. Ghosn ganhou notoriedade internacional pela notável recuperação da montadora japonesa, mesmo não sendo fluente no idioma local.

– Deve ter sido uma prova de fogo para a liderança dele – afirmei. E comecei a contar a ela uma história sobre esse conhecido líder empresarial que eu havia lido em uma revista.

Nesse momento, o senhor sentado ao nosso lado, um japonês em torno dos 60 anos que parecia estar cochilando, entrou na conversa e perguntou, com uma pronúncia bastante razoável em inglês, se conhecíamos Ghosn "San" – Sr. Ghosn, em japonês.

Respondi que não. Então ele abriu um largo sorriso e disse que trabalhava na área de vendas internacionais da Nissan. Depois pediu licença para contar a história recente da companhia, caso estivéssemos interessados. Obviamente concordei e ele deu início à sua narrativa.

– Quando Ghosn assumiu a presidência, a Nissan tinha dívidas de quase 20 bilhões de dólares e havia sete anos consecutivos amargava prejuízos que passavam de 6 bilhões de dólares. Ele prometeu devolver a lucratividade à empresa no prazo máximo de dois anos. Caso contrário, deixaria o cargo. Em 18 meses, a contabilidade da Nissan voltou ao azul e a dívida caiu pela metade – expôs nosso vizinho de poltrona daquela longa e cansativa viagem. – Além de reduzir custos, ele conseguiu mobilizar as pessoas em torno de uma causa comum: salvar a Nissan – comentou, deixando transparecer um brilho no olhar que me fez intuir que ele também participara dessa "operação salvamento".

Relatou ainda que, ao contrário da cultura vigente da linha de montagem ultraespecializada, Ghosn preferiu organizar equipes multifuncionais, compostas de pessoas oriundas de diferentes áreas da empresa, mostrando assim como a integração entre setores seria importante para a recuperação da Nissan. Desse modo, ele derrubou as paredes invisíveis que separavam os departamentos e construiu verdadeiras pontes entre eles. Nosso companheiro de viagem enfatizou, como se estivesse saboreando as palavras:

– Ele foi um construtor de pontes, em vez de um construtor de paredes, como haviam sido seus antecessores, que valorizavam a especialização e os feudos internos. As pontes de Ghosn salvaram a Nissan!

Estávamos exaustos, mas prestávamos muita atenção ao seu relato.

– Construtor de pontes? – perguntei. – Como assim?

Ele explicou que, até pouco tempo atrás, quando os clientes compravam apenas o produto, era admissível que houvesse líderes com o perfil de construtores de paredes, ou seja, especialistas nos seus departamentos. Mas, a partir do momento em que os clientes passaram a valorizar mais os serviços do que os produtos, a percepção deles sobre o funcionamento da empresa como um conjunto passou a ser fundamental. Salientou também que a sociedade começou a valorizar mais as empresas que desenvolvem projetos sociais, integradas à comunidade onde atuam.

– Por isso – continuou ele – os líderes hoje têm de ser mais construtores de pontes, não só entre os diversos departamentos como entre a empresa e seus fornecedores, e também entre a empresa e a comunidade.

Nesse momento, ele fez um breve silêncio e concluiu:

– Estou falando de conexões. Mas a principal ponte que o líder precisa construir é dentro dele mesmo: a ponte entre o racional e o emocional, entre o pessoal e o profissional, entre o pensar e o fazer. A era industrial forçava fragmentações quando, por exemplo, exigia que a pessoa deixasse suas emoções em casa e fossem para o trabalho apenas com sua parte racional e profissional. Mas hoje as empresas precisam da imaginação das pessoas para vencer o jogo competitivo por meio da inovação. E a criatividade está principalmente no lado emocional. Por isso não dá mais para contar apenas com o lado racional dos empregados. Precisamos que todos, sem exceção, vão inteiros para o trabalho.

Pausadamente, ele repetiu a última ideia, olhando-me fundo nos olhos:

– A principal ponte que o líder precisa construir é dentro dele mesmo, conectando seu racional com seu emocional. Seu cérebro com sua paixão. Seu intelecto com sua intuição.

De forma cerimoniosa, como determina a cultura japonesa, trocamos cartões de visita com nosso amável e sábio vizinho de poltrona que se preparava para o desembarque em Los Angeles.

Aproveitamos o próximo trecho da viagem até Tóquio para dormir o máximo possível.

Acordamos quando o piloto comunicou o início dos procedimentos para aterrissar no Aeroporto de Narita, onde os relógios marcavam 15h50. Sentíamos o cansaço natural daquela longa viagem de 24 horas iniciada em Guarulhos, e já eram evidentes os primeiros efeitos do fuso horário. Mas eu estava animado com o que via da janela do avião, os arranha-céus construídos em verdadeiras ilhas artificiais na Baía de Tóquio.

O motorista de táxi que nos levou do aeroporto ao Shinagawa Prince Hotel usava um par de luvas brancas e mantinha a limpeza do seu automóvel impecável. Ficamos impressionados com sua amabilidade.

Chegamos ao hotel exaustos e nos atiramos na cama para descansar um pouco. Quando acordamos, eram quase quatro horas da madrugada. Não conseguíamos dormir mais. A diferença de fuso horário de 12 horas entre São Paulo e Tóquio se fazia sentir.

Minha mulher ligou a televisão. Não adiantou, pois não entendíamos nada.

Liguei para a recepção para pedir um jornal ocidental. Fiz algumas perguntas sobre a cidade e a atendente indagou se já ouvíramos falar do mercado de peixe que ficava próximo dali. Informou que 2 mil pescadores em média chegam bem cedo com os barcos carregados e começam a fazer um leilão de 450 tipos de frutos do mar para cerca de 15 mil donos de restaurantes. Disse que poderia arranjar um táxi com motorista bilíngue para nos levar até lá.

Menos de uma hora depois, já estávamos no Tsukiji, o mercado de peixe de Tóquio.

Eu já conhecia a famosa Bolsa de Valores de Wall Street, na cidade de Nova York, mas nunca tinha visto uma atividade tão intensa como naquele mercado de peixe. Um frenético movimento de montagem de barracas e desembarque de pescados frescos, uma gritaria de compra e venda... Um verdadeiro leilão! Uma festa para os olhos, os ouvidos e o olfato.

Vimos, ainda, um pequeno santuário, o Namiyoke Inari Jinja ("raposa que repele ondas"), onde pescadores e comerciantes rezam pedindo proteção e prosperidade.

Bastante animados, fomos tomar um chá no balcão de um pequeno bar que tinha uma tabuleta onde se lia "Speak English". A dona sabia falar o básico no idioma inglês, que aprendeu quando trabalhava em um hotel perto do Jardim Imperial. Muito simpática, conversava principalmente com minha mulher, dirigindo-se quase que unicamente a ela.

Pedimos o chá. Ela nos serviu sorrindo. Eu disse que estava muito feliz com o que vira no mercado de peixe. Ela sorriu e se curvou diante de nós.

Aí ofereceu gratuitamente uma porçãozinha de um biscoito especial, que adoramos.

– Dona Chieko, a senhora sabe como agradar os clientes! – eu disse. E acrescentei que tínhamos a impressão, antes de conversar com ela, de que o povo japonês era meio fechado e sem muita disposição para conversa.

– Muita gente no Japão ainda é assim. Somos muito formais e temos muitas tradições – explicou ela, citando o marido como exemplo de formalismo.

Contou-nos, então, que tinha uma filha e que estava vivendo um certo drama na família, pois a menina cursava o primeiro ano na faculdade. O sonho dela era ser engenheira eletrônica. Estudava muito, mas andava insegura, pois no Japão a competição é muito grande entre os estudantes. Precisava de boas notas para ter direito a uma bolsa de estudos que pagaria metade do curso universitário. Minha mulher disse que essa pressão existe no mundo todo, mas ela insistiu que no Japão é bem mais acirrada. Muitos jovens se desesperam e o índice de suicídio é alto entre os estudantes que fracassam.

Aí ela expôs seu drama familiar: o marido exigia que a filha fosse a melhor da turma. Disse que a menina estava apavorada por não conseguir tirar as notas que o pai cobrava. Mas ela pensava de forma diferente do marido. Achava que a pessoa deve procurar dar o melhor de si em cada missão, e não ficar tentando ser melhor que os outros.

– A competição deve ser consigo mesmo, tentando dar o melhor de si, e não competir com os outros! – enfatizou.

A conversa foi um pouco difícil em função do idioma, mas o básico minha mulher havia captado: uma profunda diferença de valores entre o casal sobre como educar a filha.

Ao se despedir, ela revelou que agir daquela forma espontânea com os clientes foi o modo que ela encontrou para se diferenciar da concorrência naquele mercado. Por isso tinha uma grande freguesia.

Já havia amanhecido e, apesar da chuva intensa, voltamos para o hotel felizes com aquela efervescência no Tsukiji e pelo fato de não termos visto nenhum turista por lá. Parecia uma experiência exclusiva, daquelas que só quem mora no local pode desfrutar.

No caminho, minha mulher comentou o drama da senhora japonesa:

– O problema que ela está vivendo é um dos principais desafios de um líder que inspira por seus valores – argumentou. – Não é uma questão técnica, e sim existencial, que influencia muito o comportamento dos liderados. É a parte mais delicada e difícil da liderança. Os valores e os princípios formam um componente intangível, o divisor de águas que define um líder.

– Veja o caso da filha desse casal japonês – acrescentou. E fez uma breve pausa para enfatizar o que diria a seguir. – Que valor prevalecerá? Que uma pessoa deve ser a melhor entre seus pares, como pensa o pai, ou que deve dar o melhor de si sem se comparar com seus semelhantes, como acredita a mãe? São as atitudes e posturas dessa jovem que, no final, vão mostrar qual forma de pensar irá prevalecer.

Após o café da manhã, reli a lista de sugestões que o presidente da minha empresa nos enviara por e-mail no dia anterior. Ele sugeria que visitássemos a Nissan, a Sony e a Nintendo, esta situada em Kyoto, antiga capital japonesa, a apenas duas horas de distância de Tóquio, viajando de trem-bala. "São empresas de sucesso e seguramente seus líderes devem ter algo importante a dizer sobre como exercem a liderança", escreveu ele.

Passei a tarde tentando agendar visitas, telefonando, enviando e-mails, buscando contatos que me abrissem portas. Liguei inclusive para a Embaixada do Brasil, solicitando ajuda ao adido comercial. A Nissan foi mais fácil, pois a sorte havia nos aproximado daquele senhor no avião. Consegui marcar uma visita à Sony para a manhã seguinte.

No final da tarde, mais uma surpresa: conhecemos Ripongi, o bairro da moda, das grifes de alto luxo, com lojas mais sofisticadas que os conhecidos endereços parisienses. Estávamos admirados com as diferenças culturais que percebíamos nas ruas, os luminosos, a elegância, os outdoors com fotos de famosas modelos internacionais. Entramos em um magazine de produtos de maquiagem e ficamos intrigados com as fotos das modelos, quase todas mulheres ocidentais.

Na manhã seguinte começava a parte mais árdua do trabalho: uma visita à Sony para conversar com algumas pessoas da época de Akio Morita, o legendário fundador e presidente da empresa. Peguei o metrô na estação Shinagawa, em frente ao hotel, e saltei em Shinjuku, a estação mais movimentada do mundo, por onde passam pelo menos 2 milhões de passageiros por dia.

Na porta de entrada do prédio da Sony já estava à minha espera uma senhora que me acompanhou até a sala onde seria realizada a reunião inicial. Logo foi servido um saboroso chá, em uma porcelana delicada e lindíssima que desviou por alguns segundos minha atenção. O chá foi permeado por muitos sorrisos discretos e uma elevada dose de formalidade. Ouvi diversas perguntas sobre minha empresa e minha família – fizera a opção de ir sozinho, levando em conta o dado de que no Japão os maridos não têm o hábito de levar suas mulheres aos encontros de negócios. Até que finalmente começamos a conversar sobre o motivo de minha visita: liderança.

O chefe do Departamento de Relações Públicas, muito formal e, contudo, simpático, relembrou o que Morita revelou em seu livro autobiográfico. No pós-guerra, quando era um jovem homem de negócios, ex-fabricante de panelas para cozinhar arroz, visitou o Ocidente e ficou profundamente humilhado ao perceber que *made in Japan* era um termo pejorativo internacionalmente empregado para produtos mal-acabados.

Anos mais tarde, ele ajudou a fundar a empresa que deu ao mundo rádios transistorizados em massa, os aparelhos Trinitron de televisão, os videogravadores Betamax e os toca-fitas portáteis Walkman.

Mais importante do que os notáveis produtos que a empresa lançou no mercado foi o fato de que Akio Morita e o seu menos conhecido sócio, mas principal fundador da Sony, Masaro Ibuka, se tornaram símbolos de uma geração japonesa guiada pela tecnologia, que transformou um país completamente devastado pela Segunda Guerra Mundial numa das principais potências industriais do mundo.

Meu interlocutor se emocionou ao relatar os detalhes daquela tarde de 7 de maio de 1946, quando cerca de 20 pessoas se reuniram no terceiro andar do edifício destruído de uma loja de departamentos no centro de Tóquio para fundar a Tokyo Tsushin Kogyo (Empresa de Engenharia de Telecomunicações), mais tarde conhecida como Sony Corporation. A nova marca era mais fácil de ser pronunciada no mundo inteiro e se inspirava no termo latino que significa som.

O sucesso da empresa foi resultado da união da criatividade do engenheiro Ibuka com o talento de vendedor de Morita. A Sony se projetou no mercado internacional graças ao sonho e aos esforços de Akio Morita, que abandonou o futuro seguro que tinha à frente dos negócios da família, produtora de saquê havia gerações, para se arriscar num ramo em que o Japão parecia destinado ao fracasso, o da eletrônica. Foi o primeiro entre os japoneses a perceber que teria de se voltar para os Estados Unidos se quisesse crescer.

Muito do fascínio exercido por Morita se deve à maneira como ele conquistou o Ocidente. Em 1963, esse empresário japonês mudou-se com a família para um apartamento na Quinta Avenida, em Nova York, onde viveu durante um ano. Aprendeu a falar inglês e a agir como um homem de negócios ocidental. "Se queria vender para os americanos, teria que conhecer mais sobre seu modo de vida", costumava dizer. E, analisando os costumes do país, ele desenhou os produtos que os consumidores americanos nem sabiam que desejavam.

Morita foi apontado pela revista *Time* como um dos 20 maiores homens de negócios dos Estados Unidos no século XX. Foi um sonhador comprometido com a causa de transformar o Japão em uma potência exportadora e obcecada pelo perfeccionismo da tecnologia, o que acabou projetando a Sony no mundo.

Chegada a hora do almoço, convidaram-me para a refeição. Sentaram-se à mesa quatro pessoas que haviam trabalhado diretamente com Morita "San". Cada uma contou pelo menos um fato folclórico das aventuras de Morita no exterior.

Um deles narrou que, nas primeiras viagens ao exterior, Morita e dois ou três de sua equipe sempre ficavam no melhor hotel da cidade para impressionar seus interlocutores. "Temos de causar boa impressão, passar a ideia de que somos homens de negócios bem-sucedidos", dizia ele. O que eles não revelavam é que todos ocupavam um único quarto do hotel, para economizar.

Outro contou que estava com ele num restaurante em Amsterdã quando Morita se aborreceu com um garçom que fez uma brincadeira depreciativa sobre os orientais. Dirigindo-se ao grupo no idioma japonês, profetizou: "Ainda vamos inundar o mercado europeu de produtos Sony e eles vão aprender a nos respeitar."

À medida que a conversa avançava, ficava claro para mim que, mais do que qualquer outra personalidade japonesa na segunda metade do século XX, Akio Morita foi o embaixador onipresente da Sony, viajando constantemente pelo mundo, promovendo seus negócios e defendendo a imagem do Japão no exterior. Outro construtor de pontes!

Uma senhora sentada à minha esquerda disse que ajudava Morita "San" a preparar seus discursos, embora ele nunca os lesse. Relatou que Morita costumava reunir todo ano os novatos da empresa no escritório central em Tóquio, normalmente no mês de abril.

– Ele fazia questão absoluta de conversar com todos os jovens formandos que começavam suas carreiras na Sony. Sempre afirmava que as companhias de maior sucesso são justamente aquelas que sabem criar uma espécie de destino comum a todos, colocando lado a lado seus colaboradores, que os americanos preferem chamar de mão de obra, gerentes, diretores e acionistas. Costumava ironizar, dizendo que, apesar de ser um sistema simples de gerenciamento, ele nunca vira nada igual em qualquer parte do mundo. "Nossa preocupação com o ser humano é autêntica", Morita fazia questão de frisar.

Outro assessor contou que, nas reuniões anuais com os novatos, o líder fazia uma cerimônia de iniciação, que se repetiu por pelo menos 40 anos. Na ocasião, advertia que deveriam entender a diferença entre uma escola e uma empresa.

"Quando vocês vão para a escola, pagam uma anuidade, mas agora é esta companhia que vai pagar uma anuidade a vocês", assim Morita iniciava sua preleção.

E, invariavelmente, encerrava dizendo:

"Nós não convocamos vocês. Isso aqui não é o Exército. Vocês escolheram a Sony por vontade própria... Por isso não quero, daqui a 20 ou 30 anos, quando deixarem esta empresa, que vocês se arrependam de terem passado tanto tempo na Sony. Isso seria uma tragédia para mim. Assim, o mais importante a fazer nos próximos meses é decidir se podem ou não ser felizes aqui. A felicidade só será alcançada pela ação conjunta de todos."

O funcionário antigo disse ainda que um dia ouviu de Morita uma frase que nunca esqueceu: "A sabedoria não é exclusiva da direção da empresa", exclamara ele depois de relatar que uma das formas de manter contato permanente com colegas e jovens do escalão abaixo da diretoria era promovendo jantares nos quais conversavam até tarde da noite.

Certa noite, Morita observou um rapaz que parecia incomodado com algo. O jovem disse que, antes de entrar para a Sony, achava que ali era o melhor lugar para se trabalhar. Mas que trabalhava para um chefe, o senhor fulano de tal, e não para a Sony. E que estava desapontado por ter que se reportar a um chefe estúpido.

Esse comentário foi motivo de profunda reflexão para Morita, que só sossegou depois de implantar vários mecanismos que possibilitavam aos funcionários da Sony a mudança de área sempre que se sentissem incomodados. "Se você está insatisfeito com seu trabalho, tem todo o direito de encontrar uma função mais agradável em outra área da empresa" virou o mantra da Sony na gestão de pessoas e no estilo de liderança implantado. Nenhum chefe queria ver seu subordinado buscando vaga em outra área...

Finalmente, uma secretária perguntou-me se eu tinha lido *Made in Japan*, escrito pelo próprio Morita. Meio sem graça, admiti que não. Ela explicou então que o livro revelava muito do seu jeito de ser. E praticamente reproduziu de memória um longo trecho, como se estivesse imitando a fala de Morita:

– "Meu companheiro Ibuka é uma pessoa com grande espírito de liderança, capaz de reunir ao seu redor gente que só quer trabalhar com ele. Na verdade, a história da Sony é a de um grupo de gente buscando ajudar Ibuka a realizar seus sonhos. Ele nunca acreditou nesse negócio de um só na direção centralizando tudo. Pensando bem, não foi só sua genialidade no campo tecnológico ou sua habilidade para traçar caminhos futuros que tanto impressionaram a todos nós na empresa. Foi principalmente sua facilidade em pegar um grupo de engenheiros jovens e um tanto pretensiosos e trabalhá-los no sentido de formar uma equipe que pudesse cooperar nessa atmosfera de liberdade e interdependência."

Para finalizar, a secretária acrescentou que Morita costumava repetir que cooperação e consenso não significam acabar com a individualidade. Ao contrário, na Sony cooperação e consenso significam obter harmonia e sinergia de indivíduos com ideias próprias.

– Assim, Morita formou aqui vários líderes que continuaram a obra dele e de Ibuka. Ele já se foi há anos, mas ainda sentimos a presença dele, de seus pensamentos e seus ensinamentos entre nós – afirmou ela, visivelmente emocionada. E contou que ele falecera vítima das sequelas de um derrame cerebral.

Foi servida uma fruta típica, a lichia, como sobremesa, seguida de um chá de efeito digestivo. Propus um brinde à memória de Akio Morita e à sua humildade. Pouco depois despedi-me, agradecendo as atenções com que me privilegiaram. E, como fazem os orientais, curvei-me levemente diante de cada um. No íntimo, curvava-me perante alguns milênios de muita sabedoria.

SEIS

O Líder Inspirador

"O Líder Inspirador é aquele que transforma ilhas de competências em um arquipélago de excelência."

Essa foi a tradução de minha mulher, em linguagem poética, dos meus pensamentos sobre o papel do líder como construtor de pontes e de sinergias.

– Belas e sábias palavras! – retruquei ao constatar que estávamos exatamente na grande ilha onde Tóquio fica situada, apenas uma entre as 3 mil que formam o arquipélago japonês.

Esperávamos um ex-colega de um curso intensivo que eu havia feito no exterior, que morava em Tóquio e trabalhava para um grande banco europeu. Eu havia ligado para ele do hotel, na véspera, na esperança de podermos nos encontrar. Havia alguns anos sua especialidade era negociar parcerias com as grandes *trading companies* japonesas.

Enquanto voltava de táxi da Sony para o hotel, acessei as mensagens no meu celular e vi que ele tinha deixado uma. Liguei e marcamos um encontro numa Starbucks no bairro comercial de Ginza, repleto de lojas especializadas em artesanato tradicional convivendo pacificamente com arrojadas galerias e lojas de departamentos. Ali funciona até hoje o ultramoderno Salão de Amostras Sony, onde transeuntes podem experimentar as novidades eletrônicas.

Difícil mesmo foi atravessar o cruzamento Ginza Yon-Chome, um dos mais movimentados do mundo!

Após matar as saudades de meu ex-colega, relembrando situações engraçadas e atualizando informações sobre amigos comuns, ouvi dele um longo relato sobre a importância da credibilidade para fechar negócio com os japoneses. Ele enfatizou também a importância de um profundo conhecimento da pessoa com a qual se negocia.

– Por isso os japoneses são tão curiosos sobre a família e o círculo de relacionamentos da pessoa com a qual estão negociando – avisou.

Falei sobre o que ouvira durante todo o dia a respeito de Akio Morita. Ele então lembrou que um jornalista americano, Peter Range, em uma edição antiga da revista *Playboy*, reproduziu uma entrevista em que Morita declarava: "Não estamos invadindo. Apenas fabricamos coisas de que vocês gostam." Ao traçar o perfil do seu entrevistado, o jornalista se referiu a Morita como um típico representante de uma cultura que valoriza a sutileza e as maneiras indiretas. "Com seu jeito franco, era a ponte ideal entre o Japão e o Ocidente", definiu Range.

Perguntei, então, se meu amigo ouvira falar de outro líder que se atrevera a fazer essa ponte e mencionei o presidente da Nissan.

– Quem não conhece a saga do "quebra-gelos" no Japão? – replicou, sorrindo. Minha mulher e eu ficamos surpresos com o comentário. Depois ele fez uma comparação inusitada: – Ghosn, de certa forma, fez o caminho inverso de Morita. Um foi o japonês que encantou o Ocidente. O outro, o ocidental que encantou o Japão!

Segundo meu amigo, a revista inglesa *The Economist* descreveu

Carlos Ghosn como uma síntese do mercador árabe, da energia latina, da estratégia gaulesa e da diplomacia oriental: "Um cidadão do mundo talhado para viabilizar o renascimento da Nissan com os instrumentos que aprendeu a manusear no Ocidente."

A descrição resume bem a trajetória do executivo descendente de libaneses, nascido no Brasil e criado como cidadão francês. Ele promoveu reviravoltas nas operações da Michelin nos Estados Unidos, depois de passar pela empresa no Brasil, e salvou a Renault da bancarrota. Mas nada se compara ao que fez na Nissan.

Ghosn ganhou o apelido "quebra-gelos" nos meios empresariais graças à sua capacidade de reinventar as regras do jogo das práticas comerciais vigentes no país.

No início, teve de conquistar a confiança dos japoneses tradicionalistas. Procurou se relacionar com clientes, distribuidores, formadores de opinião e, inclusive, com a influente Japan Auto Parts Automotive Association. Os resultados de suas ações não demoraram a aparecer. Em dois anos, a empresa saiu da beira da falência e alcançou lucros jamais registrados na sua história. Estava de volta ao topo do clube das montadoras.

Eleito o melhor administrador do Japão, segundo pesquisa elaborada pelo jornal de economia *Nihon Keixai Shimbun*, Ghosn deixou outras lições: simplicidade, responsabilidade e transparência são as marcas registradas do ocidental que conquistou o Japão.

"Não há nada pior do que soluções pré-fabricadas."

– Esta era a justificativa usada por Ghosn para ignorar estereótipos na hora de tomar decisões – lembrou meu amigo.

E arriscou um prognóstico sobre o futuro da Nissan:

– Resta saber como ele superará os desafios da empresa no futuro. Quando a crise na economia mundial for equacionada, ele encontrará a glória total ou o cemitério da sua reputação. Esse é o limbo eterno dos líderes: o sucesso do passado não garante o sucesso no futuro!

Eu pensava nessas últimas palavras – o limbo eterno dos líderes – quando peguei o metrô de volta ao hotel.

À noite, enquanto degustávamos um sashimi de salmão, relatei, bastante animado, as experiências que tivera na Sony. Minha mulher me ouviu atentamente. Desculpei-me por não tê-la levado comigo. Ela me informou que seu dia também tinha sido bastante produtivo. Visitara o Museu Metropolitano de Arte de Tóquio, um moderno prédio de tijolos vermelhos, que tem uma grande coleção de arte contemporânea japonesa. Gostou muito do que viu. Na hora do almoço, sentou-se para ler um pequeno livro em inglês comprado no subsolo do museu e que contava um pouco da história do Japão.

Ela me disse que o país passara por várias transformações antes dessa última, que presenciamos. A maior delas aconteceu na metade do século XIX, sob o comando de um grande líder, o imperador Meiji (1868-1912), quando nações ocidentais, ansiosas para fazerem comércio com o Japão, forçaram o país a abrir suas fronteiras.

Nesse período, o Japão iniciou um programa intenso de modernização e industrialização e também de expansão colonial em direção à Coreia, à China e a outras partes da Ásia. Em 30 anos, conseguiu superar o atraso militar e tecnológico e romper um isolamento de 600 anos, de tal modo que, no começo do século XX, já ocupava um lugar de destaque entre as nações.

O mais interessante é que o país não tinha recursos naturais além da seda e do carvão. Não havia telégrafo, ferrovias, sistema postal, jornal, instituições públicas como bancos, muito menos maquinário ou fábricas. Era como se ainda se vivesse na época medieval. O único recurso disponível era o alto nível de educação de seu povo, para uma nação ainda na fase pré-industrial.

Os estrangeiros que investiram na "Ilha do Sol Nascente" levaram tecnologia. E o país se desenvolveu com a concentração da economia em grandes conglomerados, conhecidos como *zaibatsus*, liderados por famílias tradicionais. Alguns *zaibatsus* existem até hoje, como o grupo Mitsui, a Mitsubishi e a Sumitomo.

Então veio a Segunda Guerra Mundial e o Japão entrou nela do lado do Eixo, alinhado com a Alemanha e a Itália. Derrotado, foi ocupado militarmente pelos Estados Unidos entre 1945 e 1952. Nos anos seguintes, viveu uma época mais de renascimento que de arrancada, como se costuma dizer. Afinal, o país já tinha uma sólida base.

O período de maior crescimento, conhecido como revolução tecnológica, teve início em 1965 e se estendeu pela década de 1970, quando o PIB cresceu cerca de 12% ao ano. Foi a sua segunda grande virada. O que possibilitou essa fabulosa evolução foi uma alta taxa de poupança interna (as pessoas e o país não se endividam como no Ocidente), um grande investimento em tecnologia e um alto nível de educação.

As empresas japonesas importaram tecnologia e a adaptaram às suas necessidades, criando produtos diferenciados. Depois ofereceram suas soluções para o mercado internacional. Automóveis e eletrônicos japoneses começaram a invadir o mundo. As exportações de empresas como a Sony cresceram vertiginosamente. Cogitou-se, inclusive, que o Japão poderia superar os Estados Unidos como potência econômica.

Mas, em 1990, a Bolsa de Valores de Tóquio despencou. A consequente estagnação econômica fechou fábricas, paralisou obras e pôs na rua milhares de desempregados. O Japão, como o mito da Fênix, tem demonstrado a capacidade de renascer das cinzas em vários momentos de sua história. Ainda conserva a posição de segunda maior economia do mundo, em parte graças à sua fortíssima poupança interna.

A aula de história de minha esposa fechou com chave de ouro aquele dia intenso.

Na manhã seguinte, pegamos o *shinkansen*, o famoso trem-bala japonês, para irmos até Kyoto, visitar a Nintendo. A viagem foi bastante confortável, com direito a uma paisagem de cartão-postal. À direita do trem, avistávamos pela janela o majestoso Monte Fuji.

A antiga capital imperial – que perdeu o status para Tóquio em 1868 – encanta o visitante por suas ruas pequenas, sua arquitetura milenar e seus belos jardins e monumentos.

Pedimos ao motorista do táxi que nos levasse diretamente à Nintendo. Enquanto buscávamos o saguão de entrada no prédio, vimos de longe o principal designer da empresa, Shigeru Miyamoto, "estacionando" sua bicicleta. Ficamos impressionados com esse jovem que desenvolve maravilhas eletrônicas de última geração e vai para o trabalho de bicicleta todos os dias.

– Esse cara é o criador de uma inigualável coleção de sucessos, como os jogos Super Mario, Donkey Kong, Zelda e vários outros! – disse para a minha mulher.

– E anda de bicicleta?! – ela exclamou, surpresa.

Soubemos pelo porteiro do prédio que, nas horas vagas, Shigeru se dedica a atividades banais, como passear com seu cachorro e ficar em casa cuidando do jardim.

O Japão é realmente um lugar onde a tradição e a modernidade são indissociáveis. E Kyoto consegue compatibilizar o milenar com o que há de mais moderno em tecnologia.

Após o tradicional chá servido em linda porcelana, a responsável pelo serviço de relações públicas da Nintendo contou um pouco da história do sucesso dessa fábrica de sonhos.

Ela se referiu também a Shigeru Miyamoto, que ingressou na empresa há algumas décadas, quando a Nintendo começava a dar os primeiros passos no mundo dos jogos eletrônicos.

Os videogames haviam se tornado uma febre nos Estados Unidos. A Nintendo resolveu abrir uma filial lá e comprou 3 mil desses aparelhos. O negócio não decolou e Miyamoto foi convidado para desenvolver um jogo capaz de salvar as vendas. Criou o Donkey Kong, grande sucesso que conseguiu desencalhar os aparelhos. Suas sucessivas criações não só foram bem-aceitas como deram nova dimensão ao universo dos games.

Shigeru acumula os cargos de diretor sênior e gerente geral de desenvolvimento e análise de entretenimento da Nintendo. Hierarquicamente, está abaixo apenas do presidente.

A chave do sucesso? "Tenho total liberdade para elaborar coisas novas e levar minhas ideias de diversão para as pessoas", respondeu ele em recente entrevista a uma revista.

Essas foram as únicas informações que levantamos. Não conseguimos falar diretamente com nenhum dos dirigentes da empresa. Mas estava claro para nós que a cultura organizacional lá vigente era um forte fator para liberar a energia e a criatividade de seus líderes, como Shigeru, e colocar a empresa no pódio do negócio de entretenimento no mundo inteiro.

Ao nos despedirmos, confessamos que pretendíamos fazer um percurso turístico, pois dispúnhamos de cerca de três horas até pegarmos o trem de volta a Tóquio. Muito atenciosa no atendimento, mas muito cautelosa nas declarações, a relações-públicas sugeriu um roteiro turístico para aquele breve espaço de tempo de que dispúnhamos.

Primeiro, fomos ao impressionante Pavilhão Dourado, construído pelo terceiro xogum Ashikaga, que, aos 37 anos, abriu mão de seus deveres oficiais para se dedicar ao sacerdócio zen.

Depois, fomos ao Castelo Nijo, conhecido pelos aposentos ornados e pelo piso rouxinol, construído de forma a reproduzir o som do pássaro quando alguém põe os pés nele – um aviso sobre possíveis intrusos. O castelo foi erguido pelo xogunato Tokugawa, em 1543, como símbolo de poder e riqueza. Foi interessante o mergulho num ambiente onde viveu um xogum, espécie de senhor feudal e grande líder da época.

O longo período do xogunato durou até 1868, produzindo um duplo isolamento: o feudalismo interno criou ilhas de influência que minaram o poder imperial e o distanciamento do Japão do resto do mundo afastou o país do promissor comércio internacional. Kyoto foi a capital oficial durante os três séculos do xogunato Tokugawa.

Comerciantes e samurais patrocinaram a cidade de Edo (que veio a se chamar Tóquio – ou Tokyo, que, curiosamente, contém as mesmas letras de Kyoto). Foram eles os responsáveis pela restauração do poder imperial e pelo processo de reorganização do país em 1868. Tóquio se tornou a capital no início da era Meiji.

O ponto que mais nos tocou foi o Jardim Daisen-in, uma área coberta de cascalho branco com uma pequena árvore, semelhante àquela sob a qual Buda recebeu a Iluminação.

Quando eu ia dizer que Buda era japonês, minha mulher me cutucou, salvando-me de um grande constrangimento. Lembrou-me que o budismo surgiu na Índia e, além da China, propagou-se também no Japão, onde teve influência sobre a religião nacional, o xintoísmo.

Finalmente, percorremos a pé, e de mãos dadas, um dos lugares mais apreciados de Kyoto, o Caminho do Filósofo, uma sinuosa estrada de barro, com cerca de três quilômetros de extensão, ladeada de cerejeiras. O cenário era deslumbrante, tamanha a sua beleza natural. O caminho foi assim batizado em homenagem a um professor de filosofia da Universidade de Kyoto.

Minha mulher deu uma rápida olhada no relógio e alertou:

– Se pretendemos dormir em Tóquio, é hora de corrermos para a estação. O último trem sai em 25 minutos!

Durante toda a visita à Nintendo, uma dúvida ficou rondando minha cabeça. Seria Shigeru Miyamoto uma espécie de Walt Disney da era dos videogames? Resolvi dividir meus pensamentos com a minha mulher. Para mim, Disney foi um gênio, não apenas por ter criado personagens famosos como o Pato Donald e Mickey Mouse e ter feito o primeiro desenho animado de longa metragem, *Branca de Neve*. Ele foi um gênio porque deu origem a uma máquina, montou uma empresa e uma equipe que, mesmo após sua morte, continuou dando vida a personagens famosos.

– O gênio do passado saía de dentro de uma lâmpada. O gênio do futuro cria condições para que a genialidade dos outros apareça – concluí.

Minha mulher não estava certa disso. Mas me consolou:

– O mais importante você acaba de formular. O líder do passado era o sabe-tudo, o centralizador, o cacique, como diz o presidente da empresa onde você trabalha. O líder do futuro, ou seja, o Líder Inspirador, como você gosta de chamar, é aquele capaz de criar condições para a liderança dos outros se revelar.

No dia seguinte, acordamos um pouco mais tarde. Era sexta-feira e, como havia combinado, passei o e-mail para o presidente com cópia para os outros diretores, anexando mais uma vez este meu relato e minhas impressões sobre os líderes que havia conhecido na viagem ao Japão.

O presidente foi um pouco lacônico e respondeu apenas:

"Faça como Morita. Descubra a América!"

E avisou que no domingo minha mulher e eu partiríamos para Washington, D.C. A empresa já tinha dado entrada no pedido de visto e deveríamos ir naquela tarde ao Consulado norte-americano em Tóquio para finalizar os procedimentos.

Confesso que me enganei sobre nosso próximo destino. Imaginava que o presidente da empresa onde trabalho me enviaria para a China. Minha mulher apostava que iríamos para a Índia. Afinal, como ela disse, "não se pode pesquisar sobre liderança sem visitar a terra de Gandhi".

Meio frustrados com aquela notícia, decidimos passar o resto da manhã no Parque Ueno, onde visitamos o zoológico que abriga dois preguiçosos pandas.

No sábado, conhecemos vários templos, entre os quais o Santuário Tosho-gu e o Grande Pagode Budista.

Comecei a entender por que o Japão já foi chamado de laboratório religioso. Surgiram ali inúmeras novas seitas e comunidades religiosas, com raízes no xintoísmo, no budismo e no cristianismo. Várias crenças não só coexistem como também influenciam umas às outras. Não é raro alguém seguir diversas religiões ou tirar inspiração de muitas delas.

Por que então, quando se trata de administração e negócios, as pessoas pensam de forma compartimentada? Por que os seguidores de uma teoria sobre liderança ignoram aspectos sábios de outras teorias? Por que somos tão dogmáticos em certos aspectos da vida?

Por que continuamos rotulando algumas pessoas como tendo determinado estilo de liderança e só as vemos por esse lado? Fulano é autocrático! Beltrano é democrático! Às vezes selamos o destino de alguém em função de nossa percepção de qual seja seu estilo: aquele gerente é do Quadrante I e precisa ser do Quadrante IV.

Akio Morita, por exemplo: qual o estilo de liderança dele? E o de Carlos Ghosn?

Será que é mesmo importante definir o estilo de liderança de uma pessoa e tentar forçá-la a ser o que não é?

Todas essas perguntas ecoavam na minha cabeça. A elas veio se juntar uma ideia. Refiro-me ao futuro do Japão e ao tipo de liderança que o país terá de desenvolver para superar o desafio da provável queda da sua posição no ranking das economias mundiais em 2050 – em provável desvantagem na competição com China, Estados Unidos e Índia.

Percebi que o Japão pode ser o número um em outro tipo de campeonato global: líder em soluções para problemas críticos do futuro nas áreas de energia, ecologia e agricultura. E também na cultura de massas e no design.

– Mais uma vez, o Japão renascerá das cinzas – afirmei para minha mulher.

Decidimos relaxar um pouco e, ao regressar ao hotel, pedi ao serviço de quarto um combinado de sushi com sashimi acompanhado de chá-verde gelado.

No dia seguinte, cedo, iríamos "descobrir a América". Partiríamos em um voo direto, sem escalas, da JAL – Japan Airlines –, rumo a Washington, D.C., a bela capital dos Estados Unidos.

SETE

Ofereça uma causa

"Até o fim desta década colocaremos o homem na Lua... e o traremos vivo de volta!"

Estávamos observando a evolução dos diversos modelos de aeronaves espaciais no Museu do Ar e do Espaço em Washington, D.C., quando ouvimos essa gravação com a voz do ex-presidente John Kennedy, durante um discurso proferido em 1961 na Rice University, na cidade de Houston, no Texas.

A frase marcante é o símbolo da causa que mobilizou não apenas a comunidade científica da época, mas toda a sociedade americana para a corrida espacial. Os soviéticos haviam colocado o Sputnik no espaço no ano anterior, e Kennedy tentava comprometer os Estados Unidos com o Projeto Apollo, que levaria o homem à Lua.

Lembro-me como o mundo parou oito anos depois, em junho de 1969, para ver, em imagens em preto e branco de baixa definição transmitidas pela televisão, o sonho enunciado pelo ex-presidente americano que havia sido assassinado em Dallas, em 1963, se tornar realidade: os passos de um ser humano caminhando, como se estivesse em câmara lenta, na Lua! Um feito que para alguns parece inacreditável até hoje.

– Kennedy conseguiu oferecer com clareza uma causa para seu país e realizar quase tudo o que prometeu – comentou minha mulher, grande admiradora do clã, o mais famoso da política americana. – Ele formou uma equipe extraordinária, considerada uma das melhores que um líder americano já reuniu para governar. Cultivou vários líderes do quilate do seu irmão Bob, seu braço direito, de outro Robert, o McNamara, que foi seu secretário de Defesa, e de Dean Rusk, seu secretário de Estado.

A voz de minha esposa deixava transparecer uma considerável carga de emoção quando acrescentou que John Kennedy não foi um líder apenas em seu país, mas exerceu uma enorme influência em todo o mundo. E o principal: inspirava os outros pelos valores com os quais procurou estimular toda uma geração, mas cuja defesa custou-lhe a vida.

Não podia discordar dessa análise, mas sempre achei que o ex-presidente americano se beneficiou de uma imagem esculpida pelos marqueteiros políticos.

Kennedy venceu Richard Nixon, seu oponente do Partido Republicano na disputa pela Presidência dos Estados Unidos, por uma pequena margem de votos: apenas 70 mil. A vitória foi atribuída à sua desenvoltura e simpatia no primeiro debate televisivo entre candidatos presidenciais da história, que ocorrera três dias antes da eleição.

Minha mulher lembrou que, uma vez eleito, Kennedy demonstrou grande capacidade de liderar e tomar decisões durante a crise dos mísseis soviéticos em Cuba, que por pouco não foi o estopim de uma guerra nuclear, em 1962, que teria consequências catastróficas para a humanidade.

– Seu adversário, o irascível premier soviético Nikita Kruschev, deu-lhe a chance de exercitar todo o seu charme – comentou ela. – Enfrentou forte oposição no Congresso para realizar seus planos, além de uma grave crise social no sul do país, quando precisou enviar tropas para proteger os direitos civis da população negra.

Concluída a descrição das façanhas de JFK, minha mulher concordou comigo em um ponto:

– Você tem razão, nenhum líder é perfeito. – E emendou: – Mas Kennedy tinha convicções, lutou por elas e fez acontecer.

Assenti com a cabeça, e fui logo mostrando a ela o original da nave espacial Apollo, para não estender a conversa.

Era domingo e tínhamos muito o que conhecer na capital norte-americana. O voo que nos levara de Tóquio havia nos proporcionado um significativo ganho no fuso horário – chegamos a Washington quase na mesma hora em que saímos do Japão. Estávamos fazendo o clássico périplo turístico pela cidade: a Casa Branca, o Capitólio, onde fica o Congresso, sua famosa biblioteca um pouco adiante, o conjunto de museus da Smithsonian Institution, do qual faz parte o Museu do Ar e do Espaço.

Saímos dali, pegamos um táxi e fomos passear pelo badalado bairro de Georgetown, onde se localizam as lojas mais modernas, instaladas em construções do século XIX. Vimos também imponentes mansões ao longo da Massachusetts Avenue, sedes de embaixadas de diversos países. Monumentos históricos desfilavam pelas janelas do carro.

– Esta cidade é um verdadeiro museu. Em cada esquina um monumento, um pedaço de história – observou minha mulher.

Paramos no cais do Rio Potomac. Pretendíamos fazer o tradicional passeio de barco pelo rio, de onde se pode avistar a maioria dos monumentos históricos. Compramos limonada gelada em uma pequena barraca para nos refrescarmos, devido ao forte calor úmido daquela tarde ensolarada.

Conversávamos animadamente durante o trajeto, tirando fotos da bela paisagem, quando surgiu à nossa frente o complexo de prédios residenciais e comerciais conhecido como Watergate, palco do escândalo que tirou Richard Nixon da Presidência em 1974.

Ficamos em silêncio diante do que virou o símbolo da derrocada de um líder.

Recordei-me, então, da história contada por meu pai, que acompanhou atentamente todo aquele processo, conhecido como escândalo Watergate.

O californiano Richard Nixon iniciou sua trajetória como aluno brilhante da Faculdade de Direito da Duke University. Na Segunda Guerra Mundial, serviu como capitão de corveta no Pacífico. Quando deixou a vida militar, entrou para a política. Foi eleito para o Congresso pelo seu distrito na Califórnia. Em 1950, conquistou uma cadeira no Senado. Indicado para disputar a Presidência pelo Partido Republicano por aclamação em 1960, foi derrotado por Kennedy. Oito anos depois, venceu a corrida presidencial.

Durante seu mandato presidencial, Nixon colecionou vários sucessos. Um dos mais importantes foi colocar fim à Guerra do Vietnã, em 1973. Embora a guerra tivesse começado no governo anterior ao seu, o confronto se intensificara durante sua passagem pela Casa Branca, custando 52 mil vidas norte-americanas e causando muito mais mortes e destruição no Sudeste Asiático.

Nixon decretou o fim do recrutamento militar. Promoveu uma nova divisão da receita gerada pelos tributos, aprovou novas leis anticrime e um amplo programa ambiental.

Um dos eventos mais marcantes de seu primeiro mandato ocorreu em 1969, quando astronautas americanos realizaram o primeiro pouso na Lua, cumprindo a promessa feita em 1961 pelo seu arquirrival, John Kennedy.

Nixon também construiu uma nova era nas relações com a China e, sobretudo, com a União Soviética. Seus encontros com o líder russo Leonid Brejnev produziram um tratado para limitação das armas nucleares. E o secretário de Estado do seu governo, Henry Kissinger, ainda negociou importantes acordos entre Israel e dois inimigos, Egito e Síria, em 1974.

Apesar dessas realizações, Richard Nixon é considerado por muitos historiadores o pior presidente dos Estados Unidos. Poucos meses após vencer as eleições presidenciais que lhe garantiram o segundo mandato, viu-se envolvido em um escândalo: cinco membros do comitê para a reeleição do presidente promoveram a invasão dos escritórios do Comitê Nacional do Partido Democrata, sediado no famoso edifício Watergate. Instalaram aparelhos de escuta e acompanhavam tudo o que se passava na sede do partido adversário de um posto montado em um quarto do hotel, do outro lado da rua.

Na madrugada de 17 de junho de 1972, cinco meses antes das eleições presidenciais, os invasores foram presos fotografando documentos e checando aparelhos de escuta. Mesmo assim, Nixon conseguiu ser reeleito.

Dois repórteres do jornal *Washington Post*, Carl Bernstein e Bob Woodward, prosseguiram as investigações e encontraram evidências da participação do presidente, o que levou o Congresso a abrir um processo para afastá-lo do cargo.

Nixon negou qualquer envolvimento pessoal, mas os tribunais o forçaram a entregar as gravações que comprovavam sua tentativa de desviar a investigação. Em 8 de agosto de 1974, Nixon foi forçado a renunciar ao cargo de primeiro mandatário da maior potência capitalista do mundo.

A ação penal terminou com a condenação dos sete funcionários mais importantes do governo, entre eles o secretário de Justiça, John N. Mitchell, o chefe da Casa Civil, H. R. Haldeman, e o assessor de Nixon, John D. Ehrlichman.

O fiasco de Nixon é o exemplo mais conhecido da tragédia de um líder competente, com muitas realizações e uma brilhante carreira, que fracassou por causa dos seus valores. Seu caso me faz lembrar de empresas como as norte-americanas Enron e Wellcom. Pareciam sólidas e poderosas, mas foram levadas à falência e tiveram que sair de cena em decorrência de atitudes e posturas de seus líderes, que as envolveram em práticas condenáveis.

A Enron era uma gigante americana do setor de energia que pediu concordata em dezembro de 2001, após ter sido alvo de uma série de denúncias de fraudes contábeis e fiscais. Na queda, arrastou consigo uma das maiores empresas de contabilidade do mundo, a Arthur Andersen, responsável por sua auditoria.

– Quebrar a confiança dos liderados não é, contudo, a única forma de o líder perder sua eficácia – comentei com minha esposa.

Resolvemos então listar os fatores que podem levar um líder a "pisar na bola": afastar-se de sua equipe e minar sua autoridade; dizer uma coisa e fazer outra; utilizar dois pesos e duas medidas; não dar feedback orientador; não reconhecer o mérito de membros de sua equipe.

Terminado o passeio de barco, tomamos mais uma limonada e retornamos ao Hotel Mayflower, que fica na Praça Lafayette, do lado oposto à Casa Branca.

Exaustos, dormimos até a hora do almoço do dia seguinte. Pedimos uma salada e um suco no quarto do hotel e fomos para o Congresso. Pretendíamos assistir a uma sessão da Câmara de Deputados ou do Senado. Estávamos fascinados com as diversas formas de exercício do poder, principal combustível e assunto das conversas naquela cidade.

Tivemos sorte, pois naquela tarde Hillary Clinton faria um discurso. Era a chance de ver em ação uma mulher que é um belo exemplo de como dar uma guinada e assumir as rédeas do próprio destino.

Casada com o ex-presidente americano Bill Clinton, ela poderia ter seguido o modelo de primeira-dama adotado por suas antecessoras: cuidar apenas da família, dos animais de estimação e das recepções oficiais. Contudo, teve papel ativo durante os oito anos do mandato de seu marido. E reagiu com extrema elegância e altivez quando o ex-presidente sofreu um início de processo para afastá-lo do cargo em razão de suas peripécias com uma estagiária em plena Casa Branca.

Hillary não se deixou abater nem tampouco se retirou do convívio público. Decidiu iniciar um novo curso em sua vida: deixar de ser mera coadjuvante para se tornar protagonista na história política americana. Montou um plano de travessia, uma estratégia pessoal, e em novembro de 2000 estreou um novo papel, o mais notável já vivido por uma ex-primeira-dama: elegeu-se senadora pelo estado de Nova York e, logo depois, se tornou opção do Partido Democrata à Presidência dos Estados Unidos nas eleições de 2008. Eleito Barack Obama, ela assumiu a liderança do poderoso Departamento de Estado, o principal formulador da política externa americana.

Resolvemos voltar andando para o hotel e desfrutar aquele lindo fim de tarde do início do outono. O vento cumpria sua rotina de fazer cair das árvores incontáveis folhas em diversas tonalidades – marrom, amarela, avermelhada. O sol insistia em nos lembrar o verão que se findara havia três semanas.

Descemos a Pennsylvania Avenue, deixando para trás o Capitólio. Paramos no Old Ebbit Grill, perto do Departamento do Tesouro, para comer aquele que é apontado como o mais bem preparado hambúrguer do país.

Passamos defronte da Casa Branca, onde turistas se amontoavam, e em seguida ficamos observando o cinzento prédio anexo, onde funciona o Conselho de Segurança Nacional, um dos palcos das decisões estratégicas sobre a geopolítica do mundo.

O Conselho já teve à sua frente grandes personalidades – Henry Kissinger e, no governo de George W. Bush que se findou, a professora Condoleezza Rice, uma mulher negra, sempre elegante em seus impecáveis tailleurs.

– Condy, como é conhecida na intimidade, foi considerada pela revista *Forbes* a mulher mais poderosa do planeta. Lidera a lista das Mulheres Mais Influentes do Mundo – disse para minha mulher.

E prossegui contando o que havia lido sobre ela. Nascida na pobre cidade de Birmingham, no Alabama, Condoleeza Rice teve uma brilhante trajetória acadêmica na Denver University, no Colorado, e depois uma premiada carreira como professora da Stanford University, na Califórnia, da qual se tornou *provost*, uma espécie de vice-reitora. Especialista em assuntos soviéticos e da Europa Central, ela já havia assessorado o presidente Bush pai, durante o período da reunificação alemã e da desmontagem do império soviético.

– Essas duas mulheres, Hillary e Condy, possuem personalidades bem distintas e ideologias às vezes antagônicas – observou minha mulher. – Mas uma característica importante as une: exercem a liderança de forma competente, cada uma coerente com seu estilo.

Tínhamos um jantar às 19 horas com um antigo vizinho de rua no Brasil que agora trabalhava como advogado na Organização dos Estados Americanos (OEA), uma espécie de ONU só para os países das Américas. Ele fora para os Estados Unidos acompanhado de um amigo hispano-americano, o segmento populacional que mais cresce naquele país.

Pediu desculpas por ter levado o amigo sem avisar, explicou que ele o havia procurado, aflito, no final da tarde. Sua filha enfrentava um sério problema na escola que estava se convertendo em um delicado drama familiar.

Fernando Avillez contou, então, que jantava com a família – Alicia, sua mulher, seu enteado de 17 anos, Ramiro, e Luzia, a única filha do casal, de apenas 6 anos – quando ouviu da menina esta frase, que o deixou perplexo:

"Papai, estrangeiro não é bom!"

Desconcertado, ele perguntou onde ela ouvira tal coisa. Ela respondeu que havia sido na escola. A professora dela dissera aquilo na classe.

"Você tem certeza, minha filha, que foi a professora quem afirmou isso?", quis saber o pai.

A menina confirmou. Daí ele teve que explicar para ela:

"Papai é estrangeiro, minha filha. Assim como mamãe e seu irmão."

Contou à menina que eles eram uma família de imigrantes. Seu pai, sua mãe e seu irmão haviam nascido na América Central e ela, por acaso, nascera nos Estados Unidos. Mas tinha dupla cidadania, o que de certa forma a tornava um pouco estrangeira também. E concluiu afirmando que a professora tinha dito uma bobagem muito grande.

Fernando estava no meio de suas explicações quando Ramiro, o enteado, o interrompeu e disse:

"Amanhã todos nós vamos levar Luzia até a escola e exigir da professora que desminta o que disse na frente de toda a classe."

"Você está louco!", retrucou a mãe. "Somos minoria neste país e podemos ser perseguidos se enfrentarmos uma professora americana. Podem até tirar nossa filha da escola."

"Minha mãe, se vocês não forem, eu vou", decretou o adolescente. "Temos direitos aqui e não vou permitir que uma professora preconceituosa saia por aí dizendo uma tolice dessas."

Fernando contou que, depois de muita discussão, ele e a mulher esgotaram todos os argumentos. Mesmo assim, Ramiro insistia em ir à escola para exigir uma retratação pública da professora.

Na manhã seguinte, a família foi levar Luzia até a escola. Estavam todos muito nervosos, exceto Ramiro, que se mostrava firme e decidido. Ele explicou o problema à diretora da escola, que ficou visivelmente perturbada. Quis defender a professora, dizendo que não deveriam dar tanto crédito a uma menina de 6 anos. Ela devia ter se confundido, afinal a escola aceitava estrangeiros e os tratava como se fossem americanos, etc.

Ramiro interrompeu as explicações da diretora, dizendo:

"Senhora, vamos deixar de hipocrisias. Chame, por favor, a professora. Queremos ouvi-la negar o fato. Se for preciso, iremos à sala de aula perguntar a todos os alunos se ela falou mal de estrangeiros ou não. E, se a senhora não fizer isso, iremos até a Justiça registrar uma queixa contra a escola. Um advogado do distrito nos representará nesse caso."

Sem alternativa, a diretora convocou a professora, que entrou na sala bastante transtornada. Quando perguntaram a ela sobre o ocorrido, tentou dissimular suas respostas.

Mas, diante da insistência de Ramiro, ela acabou admitindo a verdade com lágrimas nos olhos. Embora não tivesse intenção de ofender ninguém, tinha dito que nem sempre estrangeiros são bons cidadãos, etc.

Então, Ramiro enfatizou que esse tipo de discriminação é crime nos Estados Unidos e que ela só teria uma saída para evitar uma ação judicial: pedir desculpas na sala, defronte de todos e com a presença da família.

Ela prometeu fazer isso na segunda-feira, no dia seguinte ao nosso encontro em Washington. Fernando tinha ido consultar o amigo, meu ex-colega e agora advogado da OEA, para saber se deveria levar o caso adiante.

– Claro que sim – todos nós respondemos.

– Além de lutar pelos seus direitos, Ramiro está se comportando como um jovem líder – observei. – Conseguiu convencer a família a tomar uma atitude, convenceu a diretora, a professora e, se necessário, convencerá as autoridades municipais a punirem a escola.

– O exemplo de Ramiro deve ser muito valorizado pela sua família – concordou minha esposa. – Será uma bela lição para Luzia.

– Os líderes competentes – arrisquei dizer – educam pelo exemplo, não apenas pelo discurso. Educam pelos olhos, e não pelos ouvidos.

Fizemos um brinde a esse jovem líder, Ramiro, e ao exemplo que ele dera aos adultos.

A forma como o jovem administrou aquele incidente nos estimulou a discutir um pouco mais a essência da liderança. Ramiro demonstrava ser um líder competente, uma vez que seguia as regras estabelecidas. Mas existem líderes que definem as regras, lembrou o advogado. Contou-me que havia assistido a uma palestra sobre um dos grandes dilemas do líder, que é exatamente decidir de que tipo será: o que segue as regras do jogo ou o que estabelece as regras do jogo.

A palestra foi proferida por Howard Putnam, ex-presidente da Southwest Airlines, um exemplo de líder que estabeleceu novas regras na aviação e reinventou seu negócio, diferenciando-se não só na capacidade de oferecer valor aos seus clientes, como também na gestão de pessoas.

Putnam começou como carregador de malas em outra companhia aérea, a Capital Airlines. Fez carreira em uma terceira empresa de aviação comercial, a United, como vice-presidente de marketing, até finalmente assumir a presidência da Southwest Airlines, considerada uma das empresas aéreas mais bem-sucedidas do mundo, que segue o famoso modelo *low cost, low fare* (baixo custo e baixa tarifa): sem oferecer refeições a bordo, sem reservas de assentos, mas garantindo alto padrão nos itens pontualidade, limpeza e diversão, no atendimento em terra e no ar.

Nosso amigo relacionou outros líderes e empresas que se notabilizaram por mudar as regras do jogo: Michael Dell, que reinventou a forma de vender computadores na Dell Computers; a vendedora de café no varejo Starbucks; a rede de livrarias Barnes & Noble; a ESPN, canal de TV especializado em transmissões esportivas; a Amazon.com, que inaugurou a venda de livros on-line; a eBay, empresa de comércio eletrônico.

Após o jantar, eles nos levaram até o hotel. Na despedida, desejamos sucesso a Ramiro e Fernando na escola da filha dele.

Estava refletindo sobre os acontecimentos do dia anterior quando o táxi estacionou diante da Union Station. Ficamos impressionados com a beleza da arquitetura daquela estação de trem de Washington, inaugurada em 1907 para ser um grande portão de entrada para a capital dos Estados Unidos. Na época, era a maior estação de trem do mundo. Soubemos que possui vários salões de festas e que um dos bailes da posse dos presidentes americanos tradicionalmente é realizado ali.

Fomos até o guichê e compramos passagens para Nova York.

OITO

Forme outros líderes

"Líderes se formam, não nascem feitos."

Com essa frase polêmica, que dividiu opiniões, o ex-prefeito de Nova York, Rudolph Giuliani, começou sua palestra em uma convenção realizada em um hotel da cidade.

Não queríamos perder a oportunidade de ouvi-lo. Por isso tomamos o trem da Amtrak, três horas antes, na Union Station, em Washington, D.C., e desembarcamos na Penn Station, no centro de Manhattan, em Nova York. Na viagem, bastante agradável, passamos pelas cidades de Filadélfia e Princeton e aproveitamos para ler alguns jornais e revistas gentilmente oferecidos pela comissária.

Ao chegarmos, fomos diretamente para um pequeno hotel na Madison Avenue. Após deixarmos a pouca bagagem – pois só pretendíamos passar uma noite ali –, pegamos um táxi e seguimos diretamente para o chamado Marco Zero, o local onde reinavam as torres gêmeas do World Trade Center antes do ataque terrorista de 11 de setembro de 2001.

Foi um choque ver aquele enorme espaço vazio!

A palestra de Giuliani estava marcada para a hora do almoço, por isso tratamos de encontrar logo o hotel onde aconteceria o evento. Entramos no auditório no momento em que o ex-prefeito era apresentado.

Giuliani exerceu dois mandatos, durante os quais reduziu impostos, investiu em segurança, conseguiu baixar as taxas de criminalidade com uma arrojada política de "tolerância zero" e melhorou os serviços sociais. Sob sua gestão, as estatísticas de prosperidade da população nova-iorquina tiveram um aumento significativo.

Ao deixar o comando da Prefeitura, em dezembro de 2001, Giuliani foi considerado um dos melhores prefeitos que Nova York já teve. A *Time* o elegeu Personalidade do Ano.

O ex-prefeito falou sobre o que é ser líder e como ele ou ela deve agir em momentos de crise, para uma concorrida plateia que lotou o auditório. De certa forma, ele repetia o que tinha dito em um evento em São Paulo, conforme me revelara, meses antes, meu antigo chefe na empresa de franquia, que havia assistido a sua palestra na ExpoManagement, promovida pela HSM. A autoridade dele foi legitimada pela elogiada forma como conduziu a situação logo após o atentado.

Faltando apenas três meses para o fim do seu mandato, o prefeito poderia ter se abstido da responsabilidade, por exemplo, preferindo acompanhar a crise abrigado em um local não revelado. Em vez disso, estava em toda parte, ajudando, orientando, liderando. Desconhecidos disseram ter esbarrado com um Giuliani atônito nas proximidades do Marco Zero. Até mesmo seus críticos mais severos o aplaudiram naquele dia fatídico. Com certeza, Giuliani não fez tudo sozinho. Contou com uma equipe competente, especialmente com o chefe de Polícia da cidade.

Sua fama se prolongou, também, pelo modo como enfrentou tanto o seu câncer de próstata quanto sua rumorosa separação conjugal.

Durante a palestra, Giuliani defendeu a tese de que os líderes não nascem "prontos". Sua postura é diretamente influenciada por fatores externos, como a sua formação escolar, o exemplo de seus pais, a sua educação em casa e a sua experiência profissional.

O ex-prefeito contou aos presentes como se capacitou para a liderança. Disse que frequentou sessões preparatórias em centros de treinamento especializados antes de assumir o cargo, uma espécie de tutorial sobre a rotina de um prefeito em uma grande cidade. Esses seminários deram a ele a oportunidade de pensar sobre como agiria diante das mais diversas situações, inclusive uma crise inimaginável como aquela desencadeada pelo ataque terrorista. Quer dizer, Giuliani não dava chance ao acaso e se preparou muito para assumir a liderança e os desafios de uma metrópole como Nova York.

Na sequência, o ex-prefeito enumerou alguns princípios que seriam essenciais para o exercício da liderança. Disse que o líder é alguém que enxerga as adversidades como um desafio à sua inteligência e capacidade. Afirmou que os indivíduos perseguem sua esperança, seus sonhos e a realização desses sonhos e são atraídos por quem soluciona problemas.

Fez uma ressalva, dizendo que às vezes as sociedades seguem as pessoas erradas. E destacou a necessidade de um líder ser norteado pela moral e pela ética, empreendendo sempre ações corretas.

Salientou também que um líder deve ter coragem, o que não significa a ausência de medo, mas a capacidade de lidar com o medo e de assumir riscos, inspirando as pessoas a seguirem o seu exemplo.

Giuliani contou que costuma ser abordado com a seguinte pergunta: "Devemos ter medo de outro ataque terrorista?" Sua resposta é sempre a mesma:

– Sim, devemos. A grande questão é o que fazer com esse medo.

Para o ex-prefeito de Nova York, o medo tem um aspecto positivo: quando bem gerenciado, estimula as pessoas a se prepararem. Outro princípio de liderança, portanto, é se preparar bem. Giuliani ensina que devemos procurar antever todas as possibilidades de reveses – tanto em casa quanto na administração de um negócio, uma cidade ou um país. O treinamento nos prepara, inclusive, para eventos não previstos em nosso planejamento inicial.

– O dever de um líder é estar preparado para o pior – destacou. Acrescentou, porém, que os líderes precisam lembrar que não se consegue nada sozinho. Cabe a cada um encontrar quem compense seus pontos fracos e o auxilie a equilibrar suas forças e fraquezas. Ninguém é capaz de reunir todas as habilidades de que uma organização precisa.

Outra qualidade do líder apontada por ele é ter um rápido poder de decisão:

– Tomo decisões rapidamente. Isso é bom em situações de emergência, mas não é tão bom em situações normais. Por isso procuro me cercar de pessoas que me desacelerem. Elas me dizem: "Pense mais um pouco, você tem mais tempo, não precisa decidir agora."

Por último, Giuliani chamou atenção para um erro muito comum em líderes de grandes cidades e organizações, que deve ser evitado: enxergar apenas números e estatísticas. Acrescentou que somente o amor sincero pelas pessoas conquista seu apoio e confiança e que o líder deve estar presente quando mais necessitarem dele. Nas palavras de Giuliani, "ir a casamentos é opcional, mas ir a funerais é obrigatório, pois é lá que as pessoas mais precisam da nossa presença".

Voltamos a Washington, D.C., na manhã seguinte. Aproveitamos a viagem para comentar os pontos mais importantes da apresentação feita por Giuliani.

Para aquela noite, tínhamos reservado um programa especial: assistir ao Wizards, o time de basquete da capital, do qual fazia parte, desempenhando um novo papel, o de dirigente esportivo, o lendário Michael Jordan, o maior jogador de todos os tempos. Conseguimos duas cadeiras bem atrás do banco de reservas do time de Washington. Poderíamos ver Jordan de perto, sentado junto aos jogadores.

Estávamos almoçando em um charmoso restaurante em Dupont Circle, um dos bairros mais simpáticos da cidade, com suas lojas elegantes, bares e livrarias, quando tocou o celular com o código de área do Brasil. Inicialmente, pensei que fosse a secretária do presidente da empresa onde trabalho. Mas minha mulher reconheceu o número. Era da casa dos pais dela. Atendeu a chamada imediatamente. O pai disse a ela para não se assustar, mas tinha de informar que a mãe havia feito uma mamografia de rotina. O médico encontrou algo suspeito e pediu para ser feita uma biópsia no dia seguinte.

Minha mulher empalideceu. Sua tia, irmã de minha sogra, falecera havia três anos em decorrência de câncer de mama. Perturbada, ela disse apenas:

– Vou hoje mesmo. Estou em Washington. Deve ter voo direto para aí.

O pai dela acrescentou que a mãe estava se queixando de dores na axila, segundo o médico, um possível sinal de câncer de mama, mas ele preferiu não comentar nada com a esposa para não assustá-la.

Pedimos o telefone do médico e em seguida ligamos para ele:

– Doutor, estamos muito longe de casa. O senhor acha que a gravidade do caso justifica o nosso retorno antes de termos o resultado da biópsia? – perguntou minha mulher.

O médico se saiu com uma evasiva que muito nos irritou:

– Medicina não é matemática. A senhora faça o que achar melhor.

Minha mulher ficou apavorada e confirmou sua decisão de pegar um avião o mais cedo possível e voltar para casa, para estar ao lado da mãe na hora de conhecerem o resultado da biópsia.

Ofereci-me para voltar junto, mas ela não aceitou. Disse que iria na frente para avaliar a situação e conversar pessoalmente com o médico. Caso achasse necessária a minha presença, não hesitaria em me chamar.

Fomos imediatamente para o aeroporto e conseguimos comprar uma passagem para aquela noite. O embarque seria dali a seis horas.

Deixei-a no aeroporto, na entrada da alfândega, com um aperto no coração.

Resolvi, então, ocupar-me para passar o tempo o mais rápido possível.

Fui ao Lincoln Memorial, onde se encontra a estátua de Abraham Lincoln, com seis metros de altura, esculpida em mármore no final do século XIX. Ali sentado, ele parecia dizer uma de suas máximas:

> "Eu sempre achei que os homens devem ser livres. Sempre que ouço um indivíduo defendendo a escravidão, sinto uma grande vontade de vê-la aplicada nele mesmo."

No início da noite, fui para o MCI Center, para assistir ao jogo do Wizards. O estádio estava superlotado.

Além de um jogador de basquete excepcional, Jordan também foi um grande líder dentro e fora do campo. Conseguia o melhor de jogadores como Dennis Rodman e Scott Pippen e orientava toda a equipe. O técnico Phil Jackson, do Chicago Bulls, era um felizardo. Teve em sua equipe não apenas o melhor do mundo, mas também alguém que contagiava os companheiros e os liderava dentro da quadra.

Quando o time estava perdendo, Jordan gritava, gesticulava e começava a emplacar cestas de três pontos, uma depois da outra. Embalados por seu exemplo de determinação, todos passavam a dar o melhor de si, como se estivessem competindo entre eles e não com o adversário. O mais interessante era que se divertiam muito a cada ponto marcado. Exalavam criatividade, talento, foco, felicidade.

Jordan nasceu no bairro do Brooklyn, em Nova York, em uma família muito humilde. Ainda pequeno, mudou-se com os pais e irmãos para Wilmington, na Carolina do Norte.

O Chicago Bulls, de Michael Jordan, ganhou seu primeiro título em 1991, derrotando o favorito Los Angeles Lakers, de Magic Johnson. Esse primeiro título serviu para calar os críticos. Diziam que Michael era muito individualista e não seria possível criar um time campeão em torno dele. Fez uma brilhante carreira, coroada com a conquista de duas medalhas de ouro pela seleção americana de basquete nas Olimpíadas de Los Angeles, em 1984, e de Barcelona, em 1992.

A partir daí, houve uma sucessão de vitórias com o talento de Jordan fazendo milagres ao longo de todo o campeonato e sendo decisivo nas partidas finais.

Após o término da temporada 1992-1993, o pai de Michael, James Jordan, foi assassinado. Muito abalado, o grande astro anunciou sua saída da NBA. Disse que estava deixando o basquete, pois não via mais nenhum desafio a ser ultrapassado, e pretendia realizar um velho desejo do pai: jogar beisebol. Assinou um contrato com o Barons e se afastou do basquete.

Sua nova carreira foi um fiasco. Após várias derrotas, Michael decidiu voltar para o basquete e o Chicago Bulls, para compor aquele que é considerado um dos melhores times de todos os tempos.

Após encerrar sua carreira como jogador, Michael se tornou presidente de operações do Wizards. Sem obter os resultados que almejava, resolveu voltar para as quadras. E assim, durante duas temporadas, passou a liderar o time dentro e fora do campo.

Na temporada em que encerrou definitivamente sua carreira como jogador, aos 40 anos de idade, Jordan foi o único do time a jogar todos os 82 jogos. Fez, em média, 20 pontos por partida, um fato notável, considerando sua idade. Mas ainda assim não conseguiu classificar seu time para os *play offs*, a fase final do campeonato.

Acordei no dia seguinte com o telefonema de minha mulher avisando que chegara bem em casa e já estava a caminho do hospital com sua mãe. Garantiu que me ligaria assim que tivesse o resultado do procedimento médico em que um aparelho semelhante a uma pistola automática retira fragmentos do tecido mamário para análise ao microscópio.

Eu tinha marcado uma visita a Crottonville, onde fica o Centro de Treinamento de Líderes da GE, perto de Nova York. Ao embarcar, me dei conta de que estava a bordo de um ERJ 145, com capacidade para cerca de 50 passageiros, fabricado pela Embraer. O voo foi ótimo! O avião parecia adequado para curtas distâncias.

Ao chegarmos ao destino, pedi à comissária para falar com o piloto. Perguntei o que achava daquele pequeno jato e ele respondeu:

– *I love it!* – E enumerou suas qualidades: – Este é o melhor avião do mundo, flexível, econômico, capaz até de driblar tempestades.

Tudo indicava que a Embraer, empresa que eu havia visitado em São Paulo, estava conseguindo o que desejava: despertar nos pilotos a paixão pela máquina que fabricava...

Ao chegar ao Centro de Treinamento da GE, o funcionário destacado para me acompanhar foi logo me avisando que, se perguntassem a Jack Welch qual foi sua maior realização nos mais de 20 anos como presidente da General Electric, ele provavelmente não mencionaria o crescimento, nem os lucros obtidos, nem o extraordinário valor de mercado da empresa durante o período em que a dirigiu. Em vez disso, apontaria os líderes que contratou, desenvolveu e treinou.

Disse-me o rapaz que uma vez perguntaram a Welch qual a frase que gostaria de ver em sua lápide. O então presidente não pestanejou. Respondeu que gostaria de ter as mesmas palavras inscritas na lápide do titã dos negócios Andrew Carnegie:

> "Aqui jaz um homem que, no desempenho de sua função,
> sabia como alistar homens melhores do que ele próprio."

Pedi, então, que me desse alguns exemplos de líderes que Welch formou. Dentre outros, o rapaz citou:

- Jim McNerney, que se tornou presidente do Conselho de Administração e diretor-presidente da 3M – a primeira pessoa de fora da empresa, em mais de 100 anos, a assumir seu comando;
- Robert Nardelli, que assumiu a liderança da Home Depot, a 13.ª maior empresa americana;
- Jeff Immelt, sucessor de Welch na própria GE;
- Vivek Paul, nascido na Índia, que saiu da GE para dirigir a Wipro Technologies e nunca se reportou diretamente a Welch – o que prova que a Fábrica de Líderes de Crottonville produzia talentos em todos os níveis hierárquicos, e não apenas no topo;

• Larry Bossidy, que saiu da GE para ser o presidente da Allied Signal e depois foi dirigir a Honeywell.

Fiquei impressionado.

Mas a Fábrica de Líderes não formava apenas homens. Produziu várias líderes do sexo feminino. A mais notável, Charlene Begley, começou sua carreira em 1988 e, aos 39 anos de idade, se transformou na presidente da divisão de Plásticos, liderando 11 mil pessoas. Executiva de alta mobilidade, mudou de endereço 20 vezes ao longo de seus 17 anos na empresa. Seu marido teve de abandonar uma carreira de professor para poder acompanhá-la. Charlene lidera também fora das paredes da GE. É membro do Conselho da Universidade de Vermont e participa do grupo de jovens líderes do Fórum Econômico Mundial.

O meu cicerone ainda lembrou histórias fascinantes sobre como Welch conheceu cada um desses líderes. Bossidy e Welch, por exemplo, encontraram-se em torno de uma mesa de pingue-pongue, enquanto participavam de uma convenção anual da GE no Havaí. Welch ficou empolgado com a conversa de Bossidy, que confessou a ele que estava prestes a deixar a GE, pois não suportava mais tanta burocracia, tantos procedimentos, atrasos, etc. Welch pediu a ele uma chance e disse:

"Larry, você é o tipo de pessoa de que precisamos. Em breve este será um local diferente."

Bossidy ficou. Mais tarde foi promovido e chegou a ser o número dois da GE, a segunda pessoa mais influente, logo atrás de Welch. Ele sempre valorizou a capacidade de execução, de converter ideias em resultados. Afirmou, por exemplo, o seguinte:

"Muitas pessoas consideram a execução um trabalho detalhista, aquém da dignidade de um líder de negócios. Não é verdade. Essa é a tarefa mais importante de um líder."

Crottonville fica às margens do Rio Hudson, ao norte da cidade de Nova York. Estávamos na sede oficial da transformação organizacional da GE promovida por Welch. Era o lugar onde o melhor e mais promissor time da GE se encontrava para expandir seus horizontes intelectuais e recarregar as baterias.

– Para Welch, Crottonville era o elemento unificador da empresa – adicionou.

"O fórum onde milhares de líderes da GE que passaram pelo seu campus puderam compartilhar experiências, aspirações e, muitas vezes, frustrações", descreveu Welch em um de seus livros de memórias.

O assessor garantiu que, mesmo quando a GE fazia grandes cortes no orçamento em outras áreas, Welch investia pesado em Crottonville. Isso chamou minha atenção, pois na maioria das empresas que conheço, quando a situação está difícil, a verba de treinamento é uma das primeiras a serem cortadas.

Fiquei empolgado com aquela visita. Ao sair, parei e olhei para trás. Senti como se estivesse defronte da "Catedral do Conhecimento" sobre temas relevantes para a administração e para a liderança.

Voltei no mesmo dia, ansioso pelo telefonema de minha mulher, que só me ligou à noite. Ela informou que os testes preliminares tinham dado resultado negativo para câncer de mama. O resultado definitivo sairia no dia seguinte. Sua voz me pareceu confiante. Fui dormir aliviado.

Assim que acordei na manhã seguinte, tratei de enviar ao presidente da empresa o relatório com minhas impressões sobre aquela intensa semana em terras norte-americanas.

Passei o e-mail e deixei o notebook ligado para carregar as minhas novas mensagens enquanto fui tomar banho.

Quando começava a acessar as mensagens recebidas, o telefone tocou. Era minha mulher, com ótimas notícias: dentro de dois ou, no máximo, três dias, estaria pronta para ir ao meu encontro. O susto passara. O exame de laboratório não havia encontrado células malignas. Sua mãe estava ótima e a família, aliviada. Pretendia deixar as coisas bem organizadas na casa dos pais dela, antes de estarmos juntos novamente.

– Ótimo! – respondi, satisfeito.

Nesse momento, percebi que acabara de entrar na minha caixa de correio eletrônico a resposta do presidente da empresa. Pedi à minha mulher que esperasse enquanto o abria.

– Angola! Você sabe onde fica Angola? – perguntei, em tom de brincadeira. – Essa será nossa próxima parada. Ou, pelo menos, a minha parada.

– Não se preocupe – disse-me ela com aquela sua tranquilidade que eu considerava encantadora. – Irei ao seu encontro. Sempre quis conhecer o continente africano. – E começou a me dizer coisas que eu estava precisando ouvir...

Naquela mesma tarde fui tomar as providências necessárias para a viagem, inclusive uma bateria de vacinas contra febre amarela, febre tifóide e tétano. E, naturalmente, a documentação exigida para entrar em Angola e na África do Sul, onde faria uma escala obrigatória de dois dias aguardando a conexão do voo para Luanda.

Na noite do dia seguinte me dirigi ao aeroporto. Enquanto esperava a chamada para o embarque, pedi ao garçom que me atendia no bar uma taça de vinho feito com uvas do tipo pinot noir da Califórnia, a variedade mais interessante de vinho tinto produzida ali. Brindei à saúde da minha sogra e à esperança de que minha mulher fosse realmente me reencontrar em Angola.

NOVE

Surpreenda pelos resultados

"Cresci sem um pai. Quando ele voltou, tornou-se o pai de uma nação."

Esta frase de Zinzi Mandela, filha do ex-presidente sul-africano e Prêmio Nobel da Paz Nelson Mandela, exprime sentimentos antagônicos e simultâneos: a tristeza pela falta que sentiu do pai, enquanto ele esteve preso durante 29 anos, e o orgulho pelo que ele representou para seu país e – por que não dizer – para a humanidade.

Essa situação vivida por Zinzi é bastante comum. Vários filhos de líderes ativos se queixam da ausência do pai ou da mãe. Absorvidos pelas atribuições da liderança, de certa forma, muitos perdem oportunidades de ter maior convivência com a família. Poucos líderes experimentam o extremo de prisões reais como Nelson Mandela, mas acabam prisioneiros de situações que eles próprios constroem em sua trajetória.

Estava absorto nesses pensamentos enquanto caminhava naquele final de tarde pelas ruas mal pavimentadas de Soweto, a conhecida favela no sudoeste de Johanesburgo. Assim que desembarquei, algumas horas antes, resolvi não me deixar abater pelo cansaço da viagem nem pelos sentimentos de tristeza e saudade causados pela ausência da minha mulher. Estava realizando um desejo havia muito acalentado de visitar Soweto, que conhecia muito de leitura e de imagens vistas em documentários.

A conexão para Luanda, meu próximo destino, seria ao anoitecer do dia seguinte, que eu tinha deixado livre para um possível evento onde esperava, pelo menos, ver o presidente Mandela.

Em Washington, eu havia reencontrado um antigo professor que era especialista em assuntos africanos. Resolvi telefonar para ele e descobri que acompanhava de perto a situação na África do Sul. Assim que soube que eu iria para lá, liguei para ele pedindo que me indicasse algum evento onde Mandela estivesse presente. Queria conhecer o ex-presidente sul-africano nem que fosse à distância. Ele prometera tentar.

Quando voltei para o hotel onde me hospedara em Johanesburgo, havia uma mensagem para mim. Ansioso, subi ao apartamento e liguei imediatamente para o número no recado. Boas notícias: Nelson Mandela concederia uma entrevista coletiva à imprensa internacional na manhã seguinte e, se eu chegasse antes, poderia assistir à coletiva. Fui alertado de que não me atrasasse em hipótese alguma.

Mandela ainda praticava alguns hábitos adquiridos na prisão: acordava diariamente às 4h30 da manhã e, meia hora depois, começava sua série de exercícios. Trabalhava sempre 12 horas por dia. Não tolerava a falta de pontualidade. Ficava impaciente quando alguém se atrasava. Ele é um exemplo de gestão do tempo eficaz.

Ao se retirar da vida pública em 1999, Mandela se mudara para o lugar onde nascera, Qunu, um pequeno vilarejo perto de Umtata, na região do Transkei, ao sul do país, distante mais ou menos uma hora de avião de Johanesburgo. Dessa vez ele tinha viajado especialmente para a celebração, três dias antes, do aniversário do Levante de Soweto. Aquela data foi escolhida para comemorar o fim do apartheid – uma política de segregação racial que bloqueava o acesso dos negros à propriedade da terra e à participação política, obrigava-os a viver em zonas residenciais delimitadas e proibia o casamento com brancos.

Na entrevista, Mandela revelou que, nos momentos de privacidade, gostava de olhar o pôr do sol ouvindo obras de compositores clássicos como Händel e Tchaikovsky ou música africana. E relembrou como ficou impedido de desfrutar esse simples prazer durante décadas, trancafiado numa cela. Chegou a organizar alguns concertos e um coral com os demais prisioneiros, nas proximidades do Natal.

O ex-presidente falou de sua trajetória. Relatou que decidiu ser advogado ao ouvir as histórias contadas pelos mais velhos sobre os valores sustentados pelos seus ancestrais durante períodos de guerra e de defesa da cidadania. Completou o bacharelado por correspondência e entrou na política ao se filiar ao Congresso Nacional Africano, em 1942.

Em determinado momento, falou o que eu já tinha lido em um de seus livros:

> "A verdadeira liderança exige compreensão de que não se está agindo como indivíduo, que se está representando o coletivo."

Ele sempre impressionou a todos por sua disciplina e sua capacidade de trabalho. Foi um dos coautores do Programa de Ação que pregava boicotes, greves e não cooperação com a plataforma do apartheid – que elegeu o Partido Nacional em 1948, ao propor um governo apenas de brancos para brancos.

Escolhido como voluntário-chefe da Campanha de Desafio a Leis Injustas, em 1952, Mandela viajou por todo o país, organizando a resistência contra a legislação discriminatória. Acusado e julgado pelo seu papel na campanha, a Corte deixou claro que ele sempre aconselhara seus seguidores e os outros líderes do movimento a adotarem um discurso pacífico e a evitarem qualquer tipo de violência. Mesmo assim, foi condenado e confinado em Johanesburgo por seis meses.

Durante toda a década de 1950, ele enfrentou várias formas de repressão. O Congresso Nacional Africano, ou CNA, foi considerado ilegal e Mandela emergiu como o principal líder nessa nova fase de luta contra o apartheid. Foi preso em diversas oportunidades. Orgulhosamente, contou como ele e Oliver Tambo abriram em Johanesburgo a primeira firma de advogados negros da história sul-africana, em 1952.

Quase dez anos depois, em março de 1961, o CNA conseguiu reunir numa convenção 1.400 representantes. Num discurso eletrizante, Mandela, o principal orador, desafiou o regime do apartheid a fazer uma convenção nacional representando todos os sul-africanos e a formatar uma nova Constituição baseada em princípios democráticos.

A resposta do governo à sua proposta pacífica foi uma mobilização militar sem precedentes. Mandela tomou uma decisão polêmica: formou um braço militar no CNA para defender seus membros e organizar boicotes aos gestores públicos.

Em junho de 1961, voltava da Etiópia, onde fora proferir um discurso, quando foi preso. Pediu para ser seu próprio advogado. Começou sua defesa com a célebre frase: "Eu detesto o racismo, porque considero isso uma coisa bárbara, quer seja praticado por um homem branco, quer seja por um homem preto!"

Suas palavras finais antes de receber a sentença foram:

"Eu tenho lutado contra a dominação branca. E eu tenho lutado

contra a dominação negra. Eu acalento o ideal de uma sociedade livre e democrática na qual todas as pessoas vivam em harmonia e com oportunidades iguais. É um ideal que eu espero poder viver para ver realizado. Mas, se necessário, é um ideal pelo qual eu estou preparado para morrer."

Mandela ficou detido em prisões de segurança máxima até 1990. Durante esse período, rejeitou várias propostas de acordo. Sempre respondia: "Prisioneiros não podem assinar contratos. Só homens livres podem negociar!"

Em 1991, na primeira convenção do CNA na África do Sul após ter sido banido, Mandela foi eleito presidente do partido e seu colega e amigo Oliver Tambo, presidente do Conselho do CNA. Tomou posse em 1994 como presidente da África do Sul, no primeiro governo eleito democraticamente no país.

Ao receber o Prêmio Nobel da Paz, em 1993, Mandela deixou claro que a homenagem não cabia a ele, mas ao povo sul-africano e a todos os que lutaram pela paz e se posicionaram contra o racismo, em especial a Noruega e a Suécia, os dois países que mais apoiaram o seu na luta contra o apartheid, enquanto o resto do mundo guardava silêncio.

A coletiva estava chegando ao final. Mandela tinha uma causa bem definida, uma bandeira capaz de mobilizar milhões de pessoas, mesmo estando na prisão. É um exemplo de que o Líder Inspirador consegue estimular e mobilizar os liderados, mesmo estando fisicamente ausente.

Senti uma necessidade irresistível de voltar a Soweto e fazer a pé o trajeto entre a escola Morris Isaacson e o Memorial Hector Peterson, um percurso muito emblemático na luta contra o apartheid. Bem ali, no dia 16 de junho de 1976, ocorreu o levante que é considerado o ponto de virada do apartheid. Milhares de estudantes desafiaram o regime. Saíram às ruas, furiosos, para protestar contra a obrigatoriedade de aprender o africâner, a língua falada pelos colonizadores brancos.

Eram alunos do ensino fundamental, tão jovens que muitos ainda nem tinham idade para usar calças compridas. Surpresa diante daquele desafio inesperado, a polícia abriu fogo e matou 23 estudantes. As mortes provocaram uma revolta que se espalhou pelo país e ultrapassou as fronteiras da África do Sul. A foto da primeira vítima do levante, Hector Peterson, de 12 anos, sendo carregado por um colega percorreu o mundo e desencadeou uma mobilização internacional contra o regime racista sul-africano.

Mandela lembrou-se perfeitamente desse dia e disse pausadamente: "Os acontecimentos daquele dia tiveram repercussões em todos os municípios da África do Sul. Os funerais das vítimas da violência se tornaram locais de motins. Os jovens sul-africanos se deixaram levar por um espírito de protesto e rebelião."

Aos poucos, o apartheid foi perdendo força até a convocação das eleições em 1994.

No voo para Luanda, ao anoitecer, meus pensamentos giravam em torno do grande exemplo de exercício pleno da liderança dado por Nelson Mandela. Definiu e lutou por uma causa que virou um sonho coletivo. Inspirou vários líderes com os quais conviveu: o amigo Oliver Tambo, Anton Lembede, fundador da Liga da Juventude do CNA, William Nkomo, que serviu de mediador nos conflitos entre o governo e as raças oprimidas, Walter Sisulu, vice-presidente do CNA, Ashby P. Mda, outro membro ilustre do partido. Não só liderou seu grupo em seu país, como também liderou sua causa no continente africano e no mundo, mesmo estando preso. E conseguiu alcançar os resultados pelos quais lutara: o fim do apartheid e eleições democráticas.

Aquele homem simboliza o triunfo do espírito humano sobre a falta de humanidade de algumas pessoas. Ele jamais respondeu ao racismo com racismo. Sua liderança é um dos melhores exemplos contemporâneos de inspiração pelos valores e atitudes. Sua força nasce justamente da coerência entre seu discurso, seus atos e seus valores.

Assim que cheguei a Luanda, e tão logo me desembaracei dos burocráticos procedimentos na alfândega, fui direto para o Hotel Presidente, no final da Avenida Quatro de Fevereiro, próximo ao porto da cidade. A praia podia ser vista pela janela do automóvel. Havia muita gente na rua. Soube, depois, que os angolanos gostam de circular em grupos, quase nunca estão sozinhos. E alguns homens, principalmente os mais jovens, ainda têm o hábito de andar de mãos dadas ou com os dedos entrelaçados.

Dei uma olhada no relógio e concluí que já devia estar à minha espera o coronel Melo Antunes, ex-militar português, considerado o ideólogo do Movimento das Forças Armadas que provocou a famosa Revolução dos Cravos, em 1974, em Lisboa. Após a derrubada do governo salazarista e o fim de 48 anos de ditadura, Melo Antunes foi nomeado ministro das Relações Exteriores de Portugal e o principal responsável pela política de conceder independência às colônias portuguesas, entre as quais Angola. Ele estava em Luanda havia mais de uma semana para audiências com autoridades locais, na qualidade de subdiretor geral da UNESCO, a divisão da ONU para questões culturais, sediada em Paris.

Meu encontro com Melo Antunes havia sido sugerido pelo presidente da minha empresa, que o conhecera na França, em um jantar promovido pela UNESCO. Ele ficou bastante impressionado com a visão e a experiência do coronel, "um homem introvertido, reservado, mas muito inteligente, articulado e afável" – assim o descrevera no e-mail enviado na véspera de minha partida de Washington. Sugeriu que eu ligasse diretamente e tentasse encontrá-lo, se possível, antes de chegar a Luanda. Ele poderia me abrir várias portas lá e, principalmente, contar a história mais recente daquele país recém-saído de uma guerra brutal.

Quando telefonei para o escritório de Melo Antunes em Paris, recebi a informação de que o coronel estava em Luanda, onde permaneceria por 15 dias, hospedado no Hotel Presidente. Por meio de sua secretária, consegui agendar um encontro para a noite da minha chegada e resolvi me hospedar no mesmo hotel que ele.

Assim que terminei de me registrar no hotel, chamei o seu apartamento e combinamos nos reunir no lobby dentro de uma hora, tempo suficiente para tomar um banho, trocar de roupa e descer para jantar no restaurante do próprio hotel.

Ao chegar ao saguão, vi que ele já estava me aguardando. Fumava um Gitane, cigarro francês de cheiro intenso, sem filtro, e tomava uma pequena taça de vinho do Porto, branco e seco, ótimo para ser degustado com amêndoas e castanhas. Reparei que tinha um livro nas mãos, do pensador italiano Norberto Bobbio. Aí me lembrei de que ele era tratado na imprensa de "intelectual fardado".

Passamos a noite conversando. Entre um cigarro e outro, o coronel relatou-me como foi aquela tomada pacífica do poder em Portugal, conhecida como a Revolução dos Cravos. O levante foi conduzido por oficiais, na maior parte capitães. Descontentes com o desgaste em função da guerra contra a libertação das colônias na África e com a decadência econômica do país, eles iniciaram um movimento que derrubou em um só dia, 25 de abril de 1974, o salazarismo, regime político que vigorava em Portugal desde 1926.

Contou que começou a participar do Movimento dos Capitães

em janeiro de 1974, quando analisou a situação política e os fundamentos do regime em que Portugal vivia sob o governo de Marcelo Caetano, uma continuidade da ditadura salazarista.

Dessa reunião saiu a decisão de escrever um primeiro documento, do qual ele foi o principal autor, que teve grande receptividade e foi uma das fontes de inspiração da Revolução, intitulado "O Movimento, as Forças Armadas e a Nação". Ele esclareceu que o texto antecipava a ideia de um projeto de democratização e reestruturação das Forças Armadas com base na perspectiva da sociedade.

Melo Antunes contou-me que a música "Grândola, Vila Morena", transmitida no programa *Limite*, da Rádio Renascença, nos primeiros minutos do dia 25, era a senha combinada pelos militares para confirmar que o golpe era irreversível. Às 16 horas daquele dia, todos os pontos estratégicos de Lisboa haviam sido ocupados: emissoras de rádio e TV, aeroportos, quartéis, bancos e palácios.

O movimento ganhou rapidamente o apoio popular. E as forças leais ao governo tiveram que se render. Marcelo Caetano, que representava o salazarismo, saiu escoltado e foi substituído pelo general Antonio Spínola, iniciando uma era de transição um pouco confusa, até que novas instituições políticas viabilizaram a convocação de eleições. A Revolução dos Cravos devolveu a liberdade ao povo português, por isso o dia 25 de abril, data em que se comemora o seu aniversário, virou feriado e passou a se chamar o Dia da Liberdade.

Perguntei, então, sobre Angola, se o povo desse país havia finalmente conquistado sua liberdade.

– Aqui foi muito diferente – respondeu ele. – Angola fez uma guerra sangrenta e estúpida que custou mais de 600 mil vidas e quase 1 milhão de mutilados, esses pobres coitados sem perna que andam capengando por aí. Destruíram o país!

Era nítido o tom de indignação na sua voz.

Ele explicou, então, que logo após a independência, quando se libertou do colonizador português, o país se dividiu em várias facções armadas que disputavam o poder. O pano de fundo dessas brigas eram antigos conflitos tribais entre ovibundos, quimbundos e outras etnias locais. As rivalidades foram exacerbadas pelos protagonistas da Guerra Fria – os Estados Unidos, a então União Soviética, a África do Sul e Cuba.

Um grupo, liderado pelo herói nacional Agostinho Neto, recebeu o apoio dos soviéticos. Seus integrantes eram educados na Iugoslávia e em outros países da Cortina de Ferro. Esse grupo tomou o poder e governa o país até hoje, tendo mais recentemente se libertado da influência de Moscou.

Outro grupo, liderado pelo médico Jonas Savimbi, foi financiado pelos Estados Unidos e pela África do Sul. Os americanos estavam interessados no petróleo angolano e em fazer um contraponto à Rússia na África. Os sul-africanos queriam impedir que uma força negra surgisse em um país vizinho em plena luta pela manutenção do apartheid.

Para complicar ainda mais a situação, Fidel Castro resolveu exercitar sua política expansionista no exterior, exatamente em Angola, para onde enviou tropas visando espalhar a Revolução Cubana pelo continente africano. Mesmo depois que suas tropas foram forçadas a deixar o país, milhares de mercenários cubanos continuaram a ser financiados por forças que planejavam derrubar o governo, apoiando a guerrilha liderada por Jonas Savimbi.

– Felizmente, essa loucura teve fim. Hoje temos um governo estabelecido, eleito, que tenta recuperar o país. Angola é rica em petróleo e diamantes, mas grande parte de sua população vive em condições miseráveis – disse o coronel.

Perguntei qual a grande lição que ele conseguiu tirar das experiências vividas em Portugal e Angola.

– Várias – respondeu-me secamente.

Respeitei seu silêncio de longos segundos. Ele tomou um gole da taça de vinho tinto que degustávamos, feito de uvas shiraz cultivadas na África do Sul. Acendeu um cigarro, tragou-o, olhou-me fundo nos olhos e, só então, disse:

– Em Portugal, eu era um dos protagonistas. Vivi no limiar de situações angustiantes, em vários momentos. Liderar durante a crise, quando há vidas humanas em jogo, é uma tarefa e tanto. Um verdadeiro teste de fogo. Uma percepção errada, uma precipitação, uma decisão equivocada pode custar muito alto. Felizmente, conseguimos derrubar o governo salazarista sem derramamento de sangue. Na hora da verdade, o líder tem que saber decidir rápido, mas deve ter a tranquilidade para fazer o que tem de ser feito, medindo muito bem as consequências de suas decisões e seus atos.

Sobre Angola, ele tentou ser mais analítico. Disse que foi um mero observador ao longo de todos esses anos de guerra. Mas se orgulhava de ter estado à frente da decisão de conceder a independência a todas as colônias.

– Não fazia mais sentido sustentar uma relação colonialista que redundaria, mais cedo ou mais tarde, em um sério conflito com Portugal, talvez armado – justificou-se o coronel.

E narrou alguns detalhes da famosa reunião de Alvor, em 15 de janeiro de 1975, na qual foi assinado o acordo entre o governo português e os movimentos de libertação angolanos que fixou a independência de Angola para o dia 11 de novembro daquele ano.

Ao discorrer sobre a liderança na guerra civil angolana, o coronel afirmou que, após a morte do grande líder Agostinho Neto, criou-se um certo vácuo em Angola. A falta de uma liderança unificadora despertou interesses tribais e ideológicos, o que deu espaço ao aparecimento de líderes que só alimentaram a revolta, levando a população a assumir posições radicais. O fato de Angola ter virado, involuntariamente, um dos palcos da Guerra Fria entre as duas maiores potências do globo resultou na morte de centenas de milhares de pessoas.

– Mas a guerra acabou – disse o coronel. – O país está se reconstruindo. Será um teste de fogo para as lideranças no poder e para novos líderes que precisam emergir na sociedade como um todo, não apenas no governo ou nas Forças Armadas.

E, com um discreto sorriso de otimismo, ele arrematou:

– Devemos olhar para o futuro. Angola precisa inventar e construir seu futuro. Vou tentar apresentar a você algumas pessoas simples, voluntários, pequenos empreendedores e empresários que podem representar esse futuro.

Melo Antunes se comprometeu a articular alguns encontros no dia seguinte com empresários e líderes comunitários angolanos.

Terminado o jantar, quando estávamos no elevador do hotel, subindo para nossos quartos, agradeci ao coronel por suas análises. Graças a elas, aprendi muito sobre Angola e Portugal naquela noite. Ele ficou no andar do seu apartamento e, antes que a porta do elevador se fechasse, percebi que acendia mais um de seus cigarros. Seria o último daquela noite?

Quando me deitei, as avaliações de Melo Antunes sobre a atuação de líderes carismáticos ecoavam na minha mente. Cheguei à conclusão de que vários líderes se comportam dessa maneira. Usando a força do seu carisma, conduzem as pessoas para posições radicais e, em alguns casos, até para o fanatismo. Hitler, Stalin, Pol Pot, Osama bin Laden são exemplos marcantes. Consideram-se iluminados e enviados por uma força divina e acabam perdendo o contato com a realidade. Às vezes, lideram apenas pela paixão, sem o conteúdo necessário para construir o futuro de uma empresa, de uma comunidade, ou até mesmo de um país.

Questionei então: por que os cursos sobre liderança insistem nesta tecla – destacar o carisma do líder? Aquela viagem estava me mostrando que existem outras características muito mais importantes do que o carisma.

Acordei às 6 horas da manhã seguinte, com a luz forte do sol que já despontava no céu africano. Tomei um rápido café e fui ao aeroporto buscar minha mulher, que chegaria num voo às 7h59. Ela só saiu pela porta de desembarque no saguão do aeroporto às 10 horas. Os procedimentos aduaneiros eram bastante lentos em Luanda.

Ela parecia feliz. Estava um pouco mais magra e com os cabelos mais curtos, cortados em seu cabeleireiro preferido, na esquina da rua onde moramos.

Trocamos um longo e carinhoso abraço. Disse a ela que fiquei muito feliz com sua decisão de me encontrar em Luanda. Minha esposa afirmou que realmente passara um grande susto, mas estava confiante de que sua mãe não teria problemas graves, pelo menos por enquanto. E respirou fundo, como se tomasse fôlego para recomeçar do ponto em que havia parado.

Mostrando disposição para voltar a trabalhar na nossa missão, falou que havia recebido a cópia do relatório da viagem aos Estados Unidos. Acrescentou que sentia muito ter perdido aquela sequência de achados, principalmente a chance de ver Michael Jordan em seu novo papel de líder, como dirigente e não mais como jogador, e a visita a Crottonville, o centro de treinamento da GE.

Transmiti a ela, rapidamente, as minhas impressões sobre a África do Sul, o papel de Nelson Mandela na reconstrução daquele país, o teor da conversa no jantar com o coronel Melo Antunes e, por fim, o que nos esperava nos próximos dias em Luanda.

Já estávamos de volta à Avenida Quatro de Fevereiro, principal artéria de tráfego da capital angolana. Eram evidentes os vestígios que a guerra civil deixara na população. Havia um grande número de homens e crianças mutilados pelas minas colocadas no solo pelas tropas em combate.

Pela janela do carro, pude observar que o padrão de limpeza das ruas e vielas era muito inferior ao que estávamos acostumados a ver em várias localidades do mundo. Em toda parte havia muita gente miserável. Mulheres em seus vestidos simples mas de cores vistosas estavam sempre carregando algo para vender ou para fazer a "candonga", que no idioma local significa escambo, ou troca de mercadorias.

Chegamos ao hotel. Relaxamos um pouco. Matamos a saudade. E descemos para um leve almoço. Por intermédio do coronel, consegui agendar uma conversa com um médico estrangeiro que estava no país em missão voluntária, para ajudar a combater doenças infecciosas. Aliás, ele só confirmou a reunião depois de ter certeza de que havíamos tomado todas as vacinas antes de desembarcarmos na cidade. Enumerou cinco ou seis delas e, felizmente, tanto eu quanto minha mulher estávamos com a vacinação em dia.

O médico mandou um jipe com um auxiliar nos buscar no hotel e rumamos para uma das inúmeras favelas, os chamados *musseques*, da periferia de Luanda, onde o encontraríamos. Confesso que estávamos um pouco apreensivos.

À medida que nos afastávamos das avenidas principais, os sinais de pobreza cresciam exponencialmente. Vimos vários grupos de crianças quase nuas, descalças, com os estômagos dilatados. Pareciam brincar no lamaçal das vielas, misturadas com galinhas, cachorros e até mesmo porcos. "Brincar" é força de expressão. Na realidade, essas crianças se movimentavam, gritavam, acenavam para o jipe quando passava perto delas.

Em alguns momentos vimos garotos jogando com uma bola de futebol improvisada. Um grupo de quatro ou cinco chamou minha atenção. Apesar da lama e do esgoto a céu aberto, pareciam felizes por colocar no ar um objeto universalmente conhecido: uma pipa, também chamada de "papagaio" em alguns lugares.

Minha mulher colocou seus óculos escuros, como se não quisesse ver aquelas cenas. Ou talvez para esconder suas emoções, facilmente espelhadas em seus olhos. Eu mesmo tive de engolir em seco para seguir adiante e controlar um pouco minhas próprias emoções.

Pouco depois, chegamos ao *musseque* onde se encontrava o jovem doutor Erik Mandelsson – sueco, formado na Universidade de Estocolmo –, do lado de fora da tenda que servia de ambulatório. Andava de um lado para outro no terreno adjacente quando viu o jipe e foi nos cumprimentar. Seu rosto estava coberto de gotas de suor. Disse que caminhava cerca de 15 minutos em cada turno do seu trabalho para poder "respirar um pouco".

Um aglomerado de pessoas dispostas em uma longa fila tortuosa o aguardava no que parecia funcionar como uma enorme sala de espera, coberta por uma lona.

Agradeci o fato de nos ter recebido, mas expressei sentimento de culpa por "roubar" parte do precioso tempo dele, dedicado a atender todos aqueles pacientes.

Ele me contestou, dizendo que preferia conversar comigo ali mesmo enquanto atendia os doentes. E ironicamente afirmou:

– Se eu fosse visitá-los no Hotel Presidente, jamais vocês conheceriam de fato a realidade em que vivemos. Vindo até aqui, nessa fronteira entre o humano e o sub-humano, vocês me permitem economizar milhares de palavras e muitas explicações.

O Dr. Mandelsson chefiava uma equipe de 12 médicos e enfermeiros, todos membros de uma ONG internacional que presta assistência humanitária a comunidades carentes em países que tenham sofrido atrocidades em guerras ou grandes catástrofes da natureza, como furacões, tsunamis, etc. Ele já estava em Luanda havia mais de cinco anos. Recebeu convites para trabalhar na Bósnia e na Tailândia, mas decidiu ficar em Angola.

– Sinto que minha missão não está cumprida e que as pessoas daqui necessitam muito de mim. Não posso abandoná-las! – explicou. – Estou aprendendo a ser polivalente. Vim para lidar com doenças tropicais, minha especialidade. Mas, quando cheguei, não pude me omitir de ajudar os mutilados de guerra. É assustador o número de pessoas sem pernas ou braços. Pouco depois eclodiu essa epidemia de HIV.

O jovem esclareceu que suas funções ali extrapolavam as de um simples médico:

– Sou também psicólogo, conselheiro e, principalmente, amigo dessa gente. Tento manter minha equipe focada e motivada para ser multicompetente. Procuro mostrar que este laboratório vivo é a nossa pós-graduação, que vale mais que qualquer curso formal.

Ele parou um instante, depois prosseguiu:

– Todos os dias nos reunimos por 15 ou 20 minutos para falar sobre o que cada um aprendeu no dia anterior ao lidar com essas situações-limite e para em conjunto escolhermos a palavra de ordem do dia que temos pela frente. Assim, ganhamos uma dose de energia para enfrentar mais um dia de luta pela vida.

Não quisemos mais tomar o tempo dele e o abraçamos, numa tentativa de transmitir-lhe força e coragem, antes de sairmos dali. Ele fez questão de dizer que nem tudo é miséria no *musseque*. Contou que observava que diversos microempreendimentos começavam a tomar forma.

– O angolano é empreendedor por natureza – comentou –, e esse é o caminho para o país sair da difícil situação em que se encontra.

Minha mulher, curiosa, pediu que ele indicasse alguns desses empreendedores, pois gostaríamos muito de conhecê-los. O Dr. Mandelsson chamou o motorista do jipe e o encarregou de nos levar até a loja de móveis de Dona Almerinda. Viúva, ela perdera o marido na guerra, mas continuava na ativa, batalhando em um empreendimento inovador.

Na hora de partirmos, acompanhou-nos até o jipe, sorriu e confidenciou que estava namorando uma angolana, funcionária do Ministério da Saúde. Meio encabulado, revelou que pretendia se casar com ela em breve.

– Ela é mais idealista que eu! – exclamou, enquanto acenava para nós.

Dona Almerinda nos recebeu com um café fortíssimo, servido em grandes xícaras de latão. Contou sua saga como empreendedora informal em Luanda. Resolveu fabricar móveis simples. Depois, foi vender esses móveis no Ministério da Educação. Teve de ir várias vezes e esperar muito nos arredores do Ministério até realizar sua primeira venda.

– Compraram 500 peças – disse ela com um sotaque bastante carregado.

Com o valor recebido, montou a pequena loja, que dá emprego a 26 pessoas.

– Essa é a nossa saída – argumentou aquela empreendedora perseverante. – Não podemos ficar aqui esperando esmolas. Temos de produzir, seja na pesca, na agricultura ou no comércio. E também precisamos gerar empregos para essa gente voltar a ter orgulho de viver. Não podemos ficar na condição de remediados a vida toda.

Em seguida virou-se para minha mulher e lhe fez um pedido peculiar:

– Ficarei agradecida se a senhora puder me enviar algumas revistas com fotos de móveis, residenciais e de escritório. Quero ver se posso reproduzir alguns modelos bonitos e vender aqui.

Anotamos o endereço dela e o número de telefone para recados. Pertencia a uma vizinha que morava a umas três quadras da casa dela. Despedimo-nos e prometemos enviar as revistas assim que chegássemos em casa.

Voltamos ao hotel sem dizer uma única palavra. Apenas ficamos de mãos dadas, cada um respeitando o silêncio do outro.

No dia seguinte, tivemos vários encontros com outros empreendedores angolanos, professores, diretores de escolas, dirigentes de uma colônia de pescadores e funcionários de empresas internacionais de petróleo. Pedimos mais uma vez a ajuda do motorista que o Dr. Mandelsson gentilmente colocara à nossa disposição.

Chamavam nossa atenção, além do relato verbal, a linguagem corporal e as emoções dos depoimentos e das histórias que ouvíamos. Era uma prova viva de que a criatividade humana pode apontar soluções mesmo quando os recursos são absolutamente escassos. As pessoas não desanimam quando acreditam em seus sonhos. E, mesmo em condições sub-humanas, o líder consegue ver possibilidades onde os outros não as percebem.

Um empresário muito atuante em Angola despertou nosso interesse. Delmar Siqueira, engenheiro, começou seu trabalho em Angola como diretor de uma construtora brasileira, a Odebrecht. Várias pessoas em Luanda se referiam a ele como exemplo de pessoa dedicada, bem-sucedida, um viabilizador de negócios.

Um alto funcionário de uma empresa de petróleo contou que em 1992 Delmar exerceu um papel decisivo para salvar um grupo de diretores da empresa onde trabalhava, que tinham ficado retidos em Luanda quando a guerra eclodiu. Mais uma vez, a guerrilha tentou tomar o Palácio do Futungo, sede do governo, próximo ao alojamento da empresa brasileira. Ele liderou toda a operação logística necessária para a retirada dos brasileiros em um avião bimotor que conseguiu decolar e ir para a Namíbia, país vizinho.

Delmar nos disse que sempre acreditou na recuperação de Angola tão logo a guerra terminasse e que ele contribuiria para o desenvolvimento do país, fazendo o que um empresário sabe fazer: "Montar negócios, gerar empregos, criar riqueza para sua equipe e para a comunidade."

Hoje ele comanda três empresas em Luanda e pode ser encontrado frequentemente na "ponte aérea" de mais de oito horas de viagem entre a capital angolana e o Rio de Janeiro ou São Paulo.

Perguntei a ele qual a razão de seu sucesso como líder empresarial em um país muito carente, ao que me respondeu com seu característico bom humor e otimismo:

– São as mesmas razões que funcionam em qualquer lugar, independentemente do seu grau de desenvolvimento: pessoas e clientes!

Explicou em detalhes que o líder tem de saber escolher pessoas, capacitá-las e desenvolvê-las, caso contrário nada consegue fazer além do seu limite físico. Mas acrescentou algo inusitado:

– Não desgrudar de seus clientes! Eu explico: o líder precisa sair em busca de mercados, onde quer que estejam. Tem de criar oportunidades. Tem de passar mais tempo com seus clientes do que trancafiado no escritório. O líder eficaz, qualquer que seja sua posição dentro da empresa, tem de estar onde o cliente está. Mesmo quem é membro de um governo tem de estar onde o cidadão – o cliente do governo – está. Essa é a razão do sucesso dos líderes eficazes. Liderar não é apenas ter uma equipe de liderados. É preciso liderar de dentro para fora e de fora para dentro. Fazer as duas coisas simultaneamente. Aí reside a diferença entre os líderes eficazes e aqueles que são apenas eficientes.

Delmar nos deu uma carona até o Hotel Presidente. Ao nos despedirmos, revelou-nos, sorrindo, a lição mais importante que aprendera em Angola:

– A luta continua, mas a vitória é certa!

Não pude esconder minha admiração por esse empresário que resolveu investir em uma situação extremamente difícil, com problemas dos quais a maioria das pessoas prefere fugir.

– Além de corajoso, esse é também um Líder 360 Graus, que atua onde tem de atuar, sem se restringir à sua equipe nem se limitar às paredes de sua empresa – disse à minha mulher.

Após um rápido banho, sentei-me diante do notebook para enviar um e-mail com minhas impressões da viagem para o presidente da empresa. Deparei-me com a dificuldade de acessar a internet em Angola. Tive de solicitar ajuda na recepção do hotel, que enviou um técnico ao nosso quarto. Mas pouco adiantou. Depois de quase duas horas de tentativas, tive de descer e ir a uma sala onde havia dois terminais de computador. E uma fila (chamada de "bicha" no dialeto local) com seis hóspedes. Aguardei pacientemente enquanto lia um exemplar do jornal *International Herald Tribune* do dia anterior. Melhor ler notícia velha do que ficar entregue à falta completa de notícias.

Finalmente, consegui passar o relatório e subi para o apartamento. Teria de esperar algumas horas pela resposta.

Mas, em vez de me responder com mensagens escritas, como de hábito, o presidente resolveu me telefonar. Começou perguntando se estávamos bem. Confirmei que sim e agradeci a preocupação dele conosco. Repeti a frase que ouvira de Delmar: "A luta continua, mas a vitória é certa!" Perguntei sobre nosso próximo destino. Então ele revelou que a etapa final da nossa viagem para pesquisar sobre o exercício da liderança seria na Europa.

– Afinal, além do Brasil, vocês já estiveram na Ásia, na África e nos Estados Unidos. Falta a perspectiva europeia da liderança, concorda? – indagou.

– Na realidade, falta também o Oriente Médio – respondi.

– A situação no Oriente Médio está muito complicada no momento – retrucou o presidente.

Fez uma pausa e perguntou se eu achava mais produtivo ir para Paris ou para Bruxelas, onde se localiza a sede da Comunidade Europeia.

Respondi que preferia não ter de escolher entre uma ou outra cidade. Gostaria de visitar as duas. E acrescentei, sorrindo:

– Uma das coisas que aprendi nesta viagem é que nós, ocidentais, vivemos em uma espécie de "ditadura do *ou*". Sempre nos impomos uma escolha entre uma coisa *ou* outra. Já os orientais, mais sabiamente, quando se veem diante de um dilema, tentam uma coisa *e* outra. Assim sendo, não quero escolher entre Paris *ou* Bruxelas, prefiro visitar as duas, ou seja, uma *e* outra.

– O.k., você venceu – aceitou o presidente. – Primeiro Paris *e* depois Bruxelas!

A saída de Luanda com destino à capital da França teve as mesmas complicações burocráticas da entrada. Passamos quase duas horas na "bicha", entre idas e vindas intermináveis de alguns funcionários da alfândega. Todos demonstravam boa vontade. Mas davam a impressão de que a experiência da guerra os havia deixado extremamente cautelosos. Por isso checavam diversas vezes os mesmos papéis e documentos.

Estávamos bastante cansados e, de certa forma, estressados com tudo o que presenciamos em Luanda. Dormimos profundamente logo após a decolagem. Paris nos aguardava e queríamos ir descansados ao seu encontro.

DEZ

Inspire pelos valores

"Paris continua sendo a grande vitrine da moda. Seus desfiles ditam o que será usado no resto do mundo. É uma liderança incontestável nesse negócio!"

A frase foi pronunciada pela comissária de bordo que servia nosso jantar, no voo de Luanda para Paris. Ela já havia assistido àquela cena dezenas de vezes e sabia de cor e salteado a fala de Miranda Priestly, diretora da fictícia *Runway*, a mais poderosa revista de moda do planeta, e principal personagem do filme *O diabo veste Prada*, avisando à sua assistente que deveria iniciar os preparativos para irem à Semana da Moda em Paris.

Minha mulher foi logo me adiantando que esse filme se baseou no livro da jovem Lauren Weisberger, autora norte-americana de primeira viagem que trabalhou como assistente de Anna Wintour, editora da *Vogue Magazine*, esta, sim, uma revista real e influente. Informou-me ainda que a grife italiana Prada é uma das mais sofisticadas e caras do mundo da moda.

– É o sonho de consumo de muitas mulheres! – suspirou.

Miranda Priestly é o diabo que veste Prada. Tem o poder de fazer e desfazer nomes nessa indústria. Estilistas ressuscitam após um empurrãozinho dado por ela. Outros submergem quando ela trata suas criações com indiferença. Em uma inesquecível interpretação da atriz Meryl Streep, a protagonista do filme é uma executiva autoritária, exigente, que parece sentir um prazer sádico em humilhar seus subordinados, como a jovem e ingênua Andrea Sachs, a nova assistente de Miranda.

Rimos muito em algumas cenas que mostram bem o sistema de valores da poderosa chefona. Como Andrea nunca sabe a hora exata em que Miranda vai chegar, e a diretora não gosta de tomar o café morno ou requentado, a assistente providencia novas xícaras no Starbucks da esquina a cada dez minutos, num esforço para que Miranda sempre encontre um café quentinho ao entrar em sua sala!

Como uma *prima donna*, Miranda raramente se lembra do nome da assistente – que trabalha de 12 a 14 horas por dia para ela –, nunca fala "obrigado", dá chiliques inenarráveis e é a rainha dos pedidos impossíveis. Andrea é forçada a estar sempre com dois celulares ligados o tempo todo. Miranda exige que sua assistente seja 24 x 7. Não, isso não é uma nova medida de manequim; significa apenas que Andrea precisa estar disponível 7 dias por semana, 24 horas por dia!

– O interesse em torno do filme e do livro se explica pelo fato de a *Vogue* ser a líder no milionário mercado das revistas de moda, e de sua diretora, Anna Wintour, provavelmente ter inspirado o personagem do filme – complementou minha mulher. – Li em algum lugar que Anna Wintour foi convidada pelo chefão da editora Condé Nast a assumir a direção da *Vogue* americana, em 1988, no lugar de Grace Mirabella, contratada pela editora concorrente, de quem ganharia uma revista com o seu nome, a *Mirabella*.

Minha mulher contou ainda que, no início dos anos 1980, Anna chegou a trabalhar na *Vogue* sob o comando de Grace. O jornalista Michael Gross, em seu livro *Modelo – O mundo feio das mulheres lindas*, relatou uma conversa que teria ocorrido entre as duas. Grace perguntou que trabalho Anna gostaria de fazer. "Grace, é óbvio, eu quero o seu emprego", teria respondido Anna.

– Dizem que Anna Wintour é tão temida que ela não partilha o elevador com ninguém na empresa e os funcionários são instruídos a não dirigir a palavra a ela em hipótese alguma – acrescentou minha esposa.

Estava pensando na agenda que deveria cumprir em Paris, etapa final da nossa pesquisa de campo sobre o exercício da liderança, quando de repente apareceu Miranda na tela do avião – magra, superelegante, influente, temida.

Apesar de oferecer causas à equipe que comanda, de influenciar o mundo da moda e de obter claros resultados para a revista da qual é diretora, a caricatural Miranda Priestly dá lições muito úteis sobre como o Líder Inspirador *não* deve se comportar.

O espectador atento percebe logo os elevados custos emocionais para os comandados e para ela própria, em razão dos valores, atitudes e posturas que Miranda utiliza para exercer a sua liderança. Seu estilo é eficiente para alcançar os objetivos imediatos, mas demolidor a longo prazo na sustentabilidade da equipe e da empresa.

– Espero que esse filme seja útil para as mulheres que ocupam posições de comando nas empresas – observou minha mulher. – Por terem vivido em um mundo machista, quando começam a experimentar o poder, algumas se confundem, perdem a naturalidade, imitam atitudes do universo masculino e se tornam autoritárias, obsessivas e desagradáveis. Falo como gerente de Recursos Humanos – enfatizou ela. – Já tive de contratar sessões de *coaching* para executivas que deixam de ser o que são, perdem a sua essência, passam a imitar o modelo masculino de sucesso e começam a fracassar.

Concordo com minha esposa. As mulheres não precisam imitar os homens para exercer a liderança de forma eficaz. A inteligência feminina passou a ser um importante fator de competitividade de produtos, negócios e empresas. Tornou-se um diferencial na era dos serviços e do relacionamento.

Algumas características do universo feminino que, de forma preconceituosa, eram consideradas fraquezas — sensibilidade para as necessidades dos outros e preocupações comunitárias, por exemplo — viraram vantagens no mundo corporativo. Outras habilidades mais frequentes entre as mulheres, como a capacidade de negociação, a tolerância para a ambiguidade, a comunicabilidade e a organização do tempo, são objeto de cursos e programas de treinamento para executivos do sexo masculino.

Lembrei-me de uma mulher que não imitou o modelo masculino, manteve seu jeito de ser e se deu bem: Anne Mulcahy, ex-vendedora de equipamentos na Xerox que foi alçada ao cargo de presidente em uma última tentativa de salvar a empresa da falência.

Quando ela assumiu a presidência da Xerox, a empresa tinha dívidas altíssimas e acumulara prejuízos nos seis anos anteriores. Além disso, amargava uma desconfortável investigação por impropriedades contábeis no México. Anne virou o jogo e, dois anos depois de sua posse, a Xerox apresentava um pequeno lucro e reconquistava o respeito de banqueiros e acionistas e o orgulho dos funcionários.

"Comunicação eficaz foi provavelmente o mais importante componente da bem-sucedida estratégia da virada da empresa", revelou Anne Mulcahy num pronunciamento na Universidade de Stanford, nos Estados Unidos.

Anne foi muito competente em lidar com os aspectos financeiros, mercadológicos e técnicos do desafio que enfrentou. Mas sua maior competência foi utilizar sua capacidade de comunicação e a sabedoria de ouvir clientes e empregados para formatar as soluções e a saída do atoleiro em que a empresa se metera. E sem precisar se violentar nem copiar o estilo masculino de executivos bem-sucedidos em viradas empresariais, como Jack Welch ou Carlos Ghosn.

O comandante do avião avisou que deveríamos aterrissar dentro de 40 minutos. A comissária de bordo começou a distribuir o formulário a ser entregue às autoridades locais.

Quando o funcionário da alfândega francesa pediu à minha mulher "*Passeport, s'il vous plaît!*", ela me olhou e abriu um terno sorriso. Não conseguia esconder o misto de ansiedade e alegria por estar realizando o antigo sonho de conhecer Paris, a Cidade Luz.

Passamos mais de uma hora no táxi que nos levou do aeroporto Charles de Gaulle até o Hotel de Crillon, situado na imponente Place de la Concorde, o coração da parte da cidade à margem direita do Rio Sena. Do lado esquerdo do rio ficam os bairros boêmios que pretendíamos visitar assim que tivéssemos tempo livre.

Após um bom banho e um breve descanso, fui acessar meus e-mails. Estava intrigado, pois o presidente da empresa onde trabalho mandara apenas as passagens aéreas e a reserva do hotel, mas não havia mencionado quem eu deveria procurar na Europa.

Encontrei uma mensagem curiosa dele:

"*Bienvenu à Paris!* Espero que tenham feito boa viagem.

Você deve estar curioso para saber minhas indicações de contatos a fazer.

Mas, dessa vez, vou sugerir algo diferente. Você já foi a várias empresas nos países pelos quais passou.

Agora eu proponho que você deixe o mundo corporativo de lado e mergulhe no que Paris tem de melhor: cultura, gastronomia, arte, moda.

Paris dita regras para o mundo em várias áreas. E isso não é apenas obra do acaso. Verifique como Paris se tornou o que é hoje. É apenas resultado do talento de seus artistas?

Nessa última etapa da viagem, deixe sua sensibilidade falar mais alto."

– Uau! – exclamei. E fui mostrar a mensagem para minha mulher. Nós dois lemos e relemos o texto várias vezes.

Já anoitecendo, saímos para caminhar em direção à Avenida dos Champs-Elysées. Atravessamos a Place de La Concorde e demos de cara com os monumentos retratados nos cartões-postais da cidade.

– Realmente, Paris é uma festa! – declarou minha mulher, relembrando a célebre confissão do escritor norte-americano Ernest Hemingway.

A França sempre inspirou artistas de todos os lugares do mundo – escritores, pintores, escultores, músicos, urbanistas, arquitetos, dramaturgos, poetas, filósofos, cineastas –, o que faz de Paris a capital das artes do mundo ocidental.

Seguindo a sugestão do presidente da minha empresa, comecei a pensar mais profundamente em liderança sob a perspectiva das artes e da cultura, não apenas do ponto de vista organizacional.

Como seria o exercício da liderança entre artistas? Qual seria a relação entre Claude Monet, Édouard Manet, Auguste Renoir, Pissarro, Seurat e vários outros expoentes do Impressionismo, escola de pintura surgida na França em 1870 e que utilizava cores e contrastes para transmitir a impressão visual que a incidência de luz ocasionava na natureza? E entre eles e seus discípulos?

Quais os desafios para liderar um novo movimento artístico e, assim, criar uma nova escola estética ou de pensamento?

Sabe-se que Pablo Picasso, o notável pintor espanhol, e o italiano Amedeo Modigliani, artistas estrangeiros que conheceram a fama em Paris, travaram um intenso duelo pela liderança no mundo das artes no início do século passado, cada um tentando conquistar a atenção dos formadores de opinião da época e influenciar as escolas de arte.

De um lado, o talento de quem rompeu o paradigma da arte ao pintar *Les demoiselles d'Avignon* e seduziu não só inúmeras mulheres, mas também marchands influentes e intelectuais politizados. De outro, o talento de quem também revolucionou as artes com suas telas e cultivou um estilo atribulado de vida, dançando sobre mesas dos bares de Montmartre embriagado, inspirado pelo amor proibido que sentia pela católica Jeanne Hebuterne.

O duelo entre os geniais Picasso e Modigliani teve o mesmo enredo da maioria dos conflitos de liderança nas empresas, nas famílias e na política: emoções descontroladas, competição, ciúmes, vaidades, arrogância, ousadia, dúvidas, arrependimentos, compaixão.

Esse turbilhão de pensamentos agitava a minha mente quando chegamos ao restaurante L'Alsace, conhecido pela cozinha típica da região da Alsácia, na fronteira da França com a Alemanha. Nesse ponto, a Europa era diferente de todas as outras regiões que havíamos visitado: exibia uma diversidade proporcionada pela proximidade de outros países, outras culturas, a uma distância relativamente curta, a apenas poucas horas de carro, trem ou avião.

Como entrada, pedimos um delicioso prato de frutos do mar, acompanhado por duas taças de um bom vinho branco, um

Chablis. Depois escolhemos um risoto de cogumelos e meia garrafa de Beaujolais, um vinho tinto bastante leve.

Na hora de acertar a conta, tirei da carteira o cartão de crédito, mas resolvi pagar em espécie, em euros, a moeda utilizada na maioria dos países europeus. Observei as notas por alguns segundos antes de entregá-las ao garçom. Quem imaginaria, alguns anos atrás, que essa união europeia, inclusive com uma moeda comum, seria possível um dia? Isso foi resultado da união de vários líderes em torno de uma causa.

Voltamos a pé para o hotel, felizes, cantarolando a sensação de liberdade e a beleza do cartão-postal à nossa volta. À direita, a Torre Eiffel; às nossas costas, o Arco do Triunfo; e, bem à nossa frente, o obelisco da Place de La Concorde, onde ficava nosso hotel.

– Realmente, Paris é uma festa! – concordei.

No dia seguinte, logo cedo, após o café, pegamos o metrô na estação dos Jardins des Tuileries e fomos até a estação de Saint-Germain-des-Prés. De lá caminhamos pelo movimentado Boulevard Saint-Germain, cheio de lojas, restaurantes e cafés, até o cruzamento com o Boulevard Saint-Michel. Voltamos pelo outro lado da rua para apreciar melhor as vitrines.

Paramos no famoso Café de Flore para um *espresso* enquanto organizávamos a agenda daquela semana. A única reunião marcada era com um professor da Universidade Sorbonne, quase defronte do café onde estávamos.

Nas décadas de 1950 e 1960, o Boulevard Saint-Germain virou sinônimo de vida intelectual. Ali, a filosofia existencialista convivia com o jazz, o cenário ideal para que Jean-Paul Sartre e Simone de Beauvoir propusessem um modo de vida bastante peculiar. O casal costumava ser visto ora no Café de Flore, ora ao lado, no Deux Magots, escrevendo, lendo jornais, conversando com a *intelligentsia* parisiense. O existencialismo atravessou fronteiras e foi inspiração para pessoas de diversas culturas.

Paris não é apenas a cidade das artes e das ideias. Tem sido, também, um palco de rebeliões que repercutiram no mundo todo. No século XVIII, a Revolução Francesa acarretou profundas mudanças políticas e sociais. A queda da Bastilha, no dia 14 de julho de 1789, marcou o início desse movimento popular que levou à sangrenta derrubada da monarquia e teve profunda influência no exercício do poder em vários países do mundo.

Paris também foi uma das principais protagonistas da Segunda Guerra Mundial. Eu pensava nisso na noite anterior, ao passar pelo Arco do Triunfo, que, na realidade, foi edificado em honra ao exército de Napoleão Bonaparte – o maior líder da história francesa, que conquistou meio mundo na sua época, mas cuja arrogância o levou a cometer graves erros de avaliação que o conduziram à derrota e ao exílio forçado. Lembrei-me, porém, do significado simbólico que o monumento adquiriu durante o confronto com as tropas de Hitler.

Vitoriosa na Primeira Guerra Mundial (1914-1918), a França foi invadida pela Alemanha em maio de 1940. No dia 14 de junho daquele ano, perante a população de Paris, chocada e atônita, o exército alemão marchou pela Avenida dos Champs-Elysées em direção ao Arco do Triunfo. A França se dividiu em duas: o Norte e o litoral atlântico, tendo como sede Paris, ficaram sob o comando militar nazista; o Sul, até a costa do Mediterrâneo, coube à administração de Vichy, cidade sede do regime colaboracionista chefiado pelo marechal Pétain.

O edifício onde está localizado o Hotel Intercontinental, em Paris, abrigou o comando nazista durante aqueles anos sombrios. Por esse motivo, contrariando a orientação do presidente da minha empresa, que certamente desconhecia esse detalhe histórico, decidimos não nos hospedar ali. Preferimos pagar a diferença do próprio bolso para nos instalarmos no Hotel de Crillon, que ficava perto. A decisão nos deixou satisfeitos e aliviados e, felizmente, nunca foi questionada pelo presidente.

A resistência francesa durante a ocupação alemã é um dos melhores exemplos de como uma comunidade pode se organizar em torno de uma causa – a libertação do país – para derrotar um poderoso adversário. A cidade foi libertada quatro anos depois, em 1944. As imagens da libertação de Paris percorreram o mundo, sensibilizando aliados e países neutros. Elas ajudaram a precipitar o fim da guerra e a rendição alemã.

Esse fato histórico revelou um dos maiores líderes que a França já conheceu: Charles de Gaulle, o general que virou presidente da República. Inspirado pelos valores máximos da sociedade francesa – liberdade, igualdade e fraternidade –, De Gaulle soube articular uma intensa parceria com dois outros grandes líderes mundiais, o primeiro-ministro inglês Winston Churchill e o presidente norte-americano Roosevelt, para deter Hitler e libertar a França e o mundo da ameaça do Eixo nazifascista. Tudo isto contou com a ajuda decisiva da Rússia que, do lado oriental da Europa, esmagou as tropas de Hitler, a um custo altíssimo: 10 milhões de soviéticos morreram na Guerra.

Sempre me intrigou como seria a convivência entre esses três grandes líderes. Como conciliavam a causa maior de libertar o mundo com os interesses de seus próprios países? Como gerenciavam suas vaidades? De que modo lidavam com a ambiguidade? E com suas diferenças culturais?

Logo após a guerra, a Europa começou sua reconstrução e o general De Gaulle liderou a recolocação da França na posição de um dos países mais influentes no cenário mundial.

Até que, em maio de 1968, Paris foi mais uma vez palco de uma rebelião que abalou o mundo. Sabíamos pouco sobre esse episódio. Eu havia lido que a revolta não começara exatamente ali na Sorbonne, cujo prédio principal podíamos ver de onde estávamos sentados. Mas nem eu nem minha mulher conseguíamos precisar onde fora. Sabíamos apenas que, semanas depois, milhares de estudantes saíram por aquelas ruas que agora observávamos enquanto saboreávamos nosso café, para protestar contra o regime e principalmente contra alguns valores vigentes na sociedade da época.

O movimento cresceu, atravessou fronteiras e criou sinergia com o que acontecia nos Estados Unidos, no campus da Universidade de Berkeley e em Woodstock – o maior festival de rock de todos os tempos, que, durante três dias do mês de agosto de 1969, reuniu grandes lendas do rock como Janis Joplin e Jimi Hendrix e um público de mais de 400 mil pessoas em uma fazenda em Bethel, no Estado do Maine.

Mudaram-se hábitos, formas de pensar, maneiras de agir. Convenções sociais foram demolidas. O mundo organizado do pós-guerra parecia ruir. As transformações que ocorreram na política e na sociedade foram tão profundas que seus reflexos são sentidos até hoje: 1968 ficou conhecido como "o ano que não acabou".

Minha mulher confessou que gostaria de ter ido a Woodstock, mas de forma muito pragmática interrompeu a conversa e disse:

– Amor, a reunião com o professor está marcada para começar dentro de 15 minutos.

Pedimos mais um café *espresso* e croissants, e eu respondi:

– Você não foi a Woodstock, mas está exatamente na esquina das duas ruas onde aquele movimento eclodiu, na primavera de 1968. Aproveite!

Atravessamos a rua e entramos no templo acadêmico da Universidade Sorbonne para o encontro com um professor que conhecera Daniel Cohn-Bendit, o líder daquele movimento que foi chamado de "Barricadas de 1968". Daniel virou deputado, pelo Partido Verde alemão, no Parlamento Europeu – que congrega representantes de todos os países-membros da Comunidade Europeia –, sediado em Bruxelas.

Muito didático, o professor nos contou que em 1965, na periferia oeste da capital francesa, instalou-se a Universidade Paris-Nanterre para acolher estudantes que não conseguiam ingressar no circuito superior tradicional (Sorbonne, Escola Normal, Escola Politécnica, etc.). Em pouco tempo, o campus de Nanterre tornou-se um centro de contestação.

No início de 1968, descontentes com a disciplina rígida, os currículos escolares e a estrutura acadêmica conservadora, os estudantes organizaram protestos que os levaram à ocupação do campus da universidade em março.

Seus colegas da Sorbonne se solidarizaram. Dois meses depois, a Universidade Sorbonne foi fechada pelas autoridades. O movimento se espalhou. Passeatas estudantis, organizadas pela Union Nationale des Étudiants de France (UNEF), foram dissolvidas com violência crescente pela CRS, a polícia do presidente De Gaulle.

Indignados, os estudantes obstruíram as ruas centrais de Paris que davam acesso ao Quartier Latin, antigo centro universitário da cidade. A maior batalha deu-se na "Noite das Barricadas", em 10 de maio.

A essa altura, a revolta contava com a simpatia de outros setores da sociedade: sindicalistas, professores, funcionários, jornaleiros, comerciários, bancários e, por último, operários. Todos aderiram à causa estudantil.

De protesto contra o autoritarismo e o anacronismo das academias, o movimento rapidamente se transformou em contestação política ao regime gaullista, que já sofria o desgaste provocado pela longa guerra de independência da Argélia.

Lembrei-me da estratégia inteligente do coronel Melo Antunes, que convenceu o governo português a conceder a independência a Angola e a outras colônias, evitando, assim, uma possível guerra. Relatei isso brevemente ao professor. Ele não só conhecia o assunto como deixou claro que Portugal tomara uma atitude mais construtiva que a França.

E prosseguiu seu relato sobre o mês de maio de 1968. Tive dificuldade de imaginar Paris com o calçamento das ruas revirado, os paralelepípedos servindo de arma, vidraças partidas, postes caídos e carros incendiados, assumindo ares de cidade rebelada. No alto das casas e dos prédios tremulavam as bandeiras negras dos anarquistas.

Durante três semanas, cerca de 9 milhões de franceses declararam-se em greve geral. Mais de 1 milhão de pessoas marcharam pelas ruas em protesto contra o governo, lideradas por Daniel Cohn-Bendit, que ganhou o apelido de "Dany le Rouge" (Daniel, o Vermelho).

De Gaulle propôs uma solução eleitoral e, graças a ela, com o apoio de uma imensa manifestação da "maioria silenciosa" pela ordem, conseguiu evitar um motim social. Obteve uma significativa vitória nas eleições de junho. O movimento estudantil refluiu. A tormenta passara, mas o general De Gaulle, enfraquecido, renunciou à Presidência da República em abril de 1969.

– A França, que no início dos anos 1960 parecia entediada por estar de fora dos grandes acontecimentos que então ocorriam no mundo – considerou o professor, de forma irônica –, em maio de 1968 teve o tédio transformado em um furor que virou o país de cabeça para baixo. Um jovem líder estudantil comandou o movimento que derrubou a maior legenda da França no pós-guerra, o general De Gaulle.

O professor fez uma pausa. Disse que gostaria de continuar a conversa, mas estava na hora do seu almoço e, como ele tomava medicamentos para o controle do diabetes, não podia atrasar sua refeição. Então nos convidou para almoçar com ele na Brasserie Lipp, tradicional ponto de encontro de políticos, jornalistas e acadêmicos.

Estávamos degustando um *coq au vin*, um frango cozido em molho de vinho tinto e servido com legumes, quando perguntei sobre a onda de protestos e rebeliões de jovens na periferia de Paris que eclodira em outubro de 2005.

Ele argumentou que dessa vez não se tratava de uma causa ideológica, mas de reivindicações de um grupo enorme de pessoas que se sentiam excluídas da sociedade. Explicou que a origem dos tumultos foi a morte de dois jovens eletrocutados em uma subestação de energia elétrica. Testemunhas afirmaram que eles foram perseguidos pela polícia, o que provocou sua morte.

O professor lembrou-se de uma entrevista de Cohn-Bendit ao *Spiegel Online*, um site alemão, na qual explicava que todo dia ocorrem batidas policiais nos subúrbios de Paris. Jovens africanos são os mais visados.

– Ficam detidos durante horas nas delegacias. Os dois que morreram também estavam sendo monitorados. Era o período do Ramadan (tempo de jejum para os muçulmanos) e, com o anoitecer, eles queriam ir para casa comer, e não passar quatro horas em um posto policial. Por isso fugiram.

O jornal perguntou ao ex-líder estudantil qual seria a solução para o problema e ele foi incisivo ao afirmar: "O país precisa de uma estratégia policial totalmente diferente. Em algumas cidades existe algo como mediadores que procuram relaxar aos poucos a atmosfera. Contudo, isso exige uma forte disposição da polícia para a autocrítica. Para quem acha que a violência só pode ser enfrentada com o endurecimento, eu tenho que advertir: isso não é um jogo de azar. A polícia pode se apresentar de forma dura e coibir a violência, mas, amanhã, os tumultos surgirão em Montpellier, Lyon ou Marselha."

Antes de nos despedirmos, o professor ainda mencionou outra onda de distúrbios estudantis, em março de 2006, dessa feita em protesto contra o contrato de trabalho proposto pelo governo francês. Houve confrontos entre estudantes e policiais nos arredores da Sorbonne, que, mais uma vez, ficou no centro das contestações.

– Nós, franceses, que sempre exportamos ideias para o mundo, precisamos agora desenvolver um novo paradigma de liderança, um modelo de inclusão que permita uma convivência mais saudável entre diferentes setores da sociedade e contemple, também, os filhos de imigrantes – arrematou o simpático professor da Sorbonne.

À tarde, fomos a um dos mais ricos museus do mundo, o Louvre, instalado em um edifício simbólico de Paris que começou a ser construído há 800 anos. O palácio já foi moradia dos reis da França, por isso guarda coleções que pertenceram a diversos monarcas. As 35 mil obras do acervo (antiguidades orientais, egípcias, gregas, etruscas, esculturas e pinturas) em exposição estão dispostas em três andares.

Percorremos suas galerias. Passamos mais de duas horas apreciando uma retrospectiva da obra de Rembrandt. Paramos defronte das obras de Leonardo da Vinci. Já havíamos visitado a casa onde ele nasceu, em uma viagem de férias alguns anos antes. Fica perto de Florença, na pequena Vila de Vinci, origem do seu sobrenome.

Lembrei-me, então, de algo muito relevante a respeito do exercício da liderança: o estágio que Leonardo, ainda garoto, fez na oficina do mestre Verrocchio, amigo do seu pai. Passaram por ali outros talentosos aprendizes, como Perugino e Sandro Botticelli. Michelangelo também recebeu forte influência desse mestre.

Andrea del Verrocchio foi um pintor florentino, além de ourives e escultor, que trabalhou na corte de Lorenzo de Médici. Artista influente em sua época, abasteceu com o seu trabalho igrejas, claustros e famílias aristocráticas. Entre suas obras destacam-se a estátua equestre de Colleoni, que fica em Veneza e é universalmente admirada, a pintura de altar *O batismo de Cristo* e numerosas telas da Virgem com o menino.

Alguns episódios ocorridos na oficina do artista foram narrados no livro de memórias de Giorgio Vasari, um contemporâneo teórico, escritor, pintor e arquiteto. Na pintura *O batismo de Cristo*, por exemplo, Verrocchio contou com o auxílio do jovem Leonardo da Vinci, encarregado de fazer um anjo. "Pintou-o tão bem e de tal forma que o seu anjo era de longe muito melhor que as figuras pintadas pelo mestre", assinalou Vasari. Essa foi a primeira manifestação pictórica de Da Vinci. Depois, seu talento desabrochou e ele se tornou o gênio que toda a humanidade reverencia até hoje.

No dia seguinte, convidei minha mulher para caminhar um pouco, sem destino, para refletirmos sobre o documento que eu teria de produzir. Havia me comprometido a entregá-lo ao presidente da minha empresa tão logo voltasse.

Aquele dia estava bem mais frio que os anteriores. O outono parisiense ia a caminho do inverno.

No percurso, passamos em frente à Catedral de Notre Dame, grande exemplar da arquitetura gótica, que começou a ser construída em 1160 e foi concluída quase dois séculos depois, em 1345. A edificação se notabiliza pelos impotentes pórticos, as proporções harmônicas, a sobriedade da decoração, os magníficos vitrais, as torres que se erguem a 69 metros de altura. Subimos na torre para ver as gárgulas, citadas por Victor Hugo no clássico *O corcunda de Notre Dame*.

Na saída da Notre Dame, caminhamos mais um pouco e vimos o Palácio da Justiça, moradia dos reis da França até 1358, quando ainda se chamava Palais de la Cité. O prédio sofreu quatro incêndios e foi reconstruído várias vezes. Anexa ao palácio fica a Saint Chapelle, obra-prima de arquitetura, que tem os vitrais mais antigos e coloridos de Paris.

Assistimos ali, na hora do almoço, a um inesquecível miniconcerto de harpa e flauta. Foi uma experiência celestial. Os tímidos raios de sol penetravam pelos vitrais, produzindo efeitos visuais fantásticos.

Enquanto estava lá, no Palácio da Justiça, pensava no ideal de liberdade, igualdade e fraternidade. Qual será a próxima grande contribuição da França para o desenvolvimento da humanidade? Será que o país conseguirá superar a herança das suas ex-colônias? Sairá daqui a solução para o problema dos excluídos? Será que no futuro Paris será lembrada como o "Templo da Inclusão"?

Voltamos ao hotel, pedimos um lanche e o jornal *Le Monde*. Enquanto esperava, fui passando os olhos pelas notícias. Encontrei um comentário interessante sobre um filme – *Paris, eu te amo* – muito aplaudido no Festival de Cannes. Li o comentário em voz alta para minha mulher e combinamos ver aquele filme depois que voltássemos para casa, como se fosse para matar as saudades de Paris, que sentiríamos, por certo.

O filme me fez recordar as instruções do presidente: "Nessa última etapa, deixe sua sensibilidade falar mais alto."

Ao caminhar de volta para o hotel, começamos a fazer um inventário das diferentes emoções que captamos em Paris: admiração, rebeldia, ousadia para mudar, confiança em um ideal, coragem para defender uma causa, disposição para ensinar e aprender, capacidade de influenciar outras culturas, senso de realização, valores, desejo de lidar com a exclusão social.

No dia de ir embora, só tivemos tempo de preparar as malas e ir para o aeroporto. Antes de partir, fomos até o terraço do Hotel de Crillon. De lá podíamos contemplar a Place de La Concorde, o majestoso Rio Sena, a imponente Torre Eiffel, o Arco do Triunfo. Era o local ideal para nos despedirmos de Paris, a Cidade Luz.

Minha mulher fez uma declaração de amor à cidade:

– Paris é uma grande obra de arte a céu aberto.

– Concordo com você – respondi. E acrescentei: – Na minha opinião, o Líder Inspirador deve ser como um artista: fazer de sua atuação uma obra de arte!

Trocamos um beijo demorado, selando a cumplicidade dos nossos sentimentos e das nossas descobertas.

Passamos na recepção do hotel e eu pedi para enviar um e-mail para o presidente da empresa onde eu trabalhava. Fui breve e objetivo:

"Estou pronto para voltar.
O verdadeiro personagem aqui é Paris.
Desnecessário ir a Bruxelas.
Regressamos hoje à noite."

ONZE
As Cinco Forças do Líder 2.0

Algumas horas depois de chegarmos em casa recebi um telefonema da secretária do presidente informando que ele me convocava para uma reunião. Mal tínhamos desfeito as malas. Ainda precisávamos colocar em dia a nossa correspondência pessoal, acertar as contas a pagar, abastecer a geladeira vazia.

Pelo tom de voz dela, percebi que a expectativa do encontro era bastante positiva e cordial. Ela me perguntou se já havia descansado e se necessitava de mais um dia para organizar as coisas. Pedi que marcasse a reunião para a tarde do dia seguinte. Necessitava de um tempo para finalizar o documento que prometera entregar a ele. Nos últimos dias em Paris, já havia rabiscado algumas ideias que iam compor o que chamei de as Cinco Forças do Líder 2.0. Ela consultou rapidamente a agenda do presidente e sentenciou:

– Amanhã, às 17h30.

No dia seguinte, ao atravessar a porta da sala do presidente, tive uma sensação bem diferente daquela que havia experimentado seis semanas antes, quando entrei ali pela primeira vez. Estava muito mais confiante. Trazia agora uma proposta concreta, e não um problema. Sentia, confesso, uma ponta de orgulho por ter aceitado o desafio e chegar ali com uma contribuição ousada, uma ideia capaz de revolucionar o conceito de liderança. E que poderia ter alto impacto, não só na história daquela empresa, mas também na vida pessoal, profissional e familiar de muita gente.

Ele me recebeu com um largo sorriso, muito afável. Cumprimentei a vice-presidente Comercial e o vice-presidente de Recursos Humanos, que mais uma vez tinham sido convidados para a reunião. Eles haviam recebido cópias de todos os meus relatórios durante a viagem. Ambos foram muito cordiais e simpáticos. Meu chefe imediato estava de férias, mas havia deixado suas observações com a chefe dele, a vice-presidente Comercial. Conversamos durante quase duas horas.

– Houve momentos em que tive muitas dúvidas – confessei. – E alguns conflitos existenciais – acrescentei, com certo ar de mistério.

– Lidar bem com a dúvida e com os conflitos íntimos é um sinal de inteligência emocional – retrucou o presidente.

Pôs a mão no meu ombro e afirmou que o Líder 2.0 deve ter força para tolerar incertezas, frustrações, angústias e, às vezes, até mesmo a dor do fracasso.

Assenti balançando a cabeça e ele repetiu algo que já havia afirmado antes, só que dessa vez eu entendi lá no fundo do coração o significado de suas palavras:

– Os verdadeiros líderes precisam, como fez você, percorrer o caminho da liderança carregados de perguntas, e não de respostas.

– Demorei um pouco para entender isso, mas hoje concordo e me sinto confortável diante dessa colocação – respondi. E acrescentei algo que o tocou fundo: – Mas acho que o senhor também concorda que o líder, para ter sucesso, precisa de aliados. Precisa de confidentes, de pessoas com as quais possa se abrir, revelar seus medos. Temos que nos livrar daquela ideia antiga de que o líder é um guerreiro solitário. O líder que se isola pode acabar levando a família, a empresa ou a comunidade ao desastre.

Passamos então a trocar ideias sobre como formatar o programa para a tão sonhada Fábrica de Líderes na empresa. Em seguida entreguei a todos os presentes o documento que havia finalizado, onde sumariava as Cinco Forças que seriam a base do novo paradigma da liderança que estávamos buscando. Não me contive e comecei a explicar uma a uma:

AS CINCO FORÇAS DO LÍDER 2.0

PRIMEIRA
OFERECER UMA CAUSA, NÃO APENAS TAREFAS OU METAS.

O Líder 2.0 constrói com sua equipe um ambiente de motivação profunda ao deixar claro o significado que transcende a tarefa, o trabalho, a missão, o emprego das pessoas que o cercam. Indica o "porto de chegada" e as escalas intermediárias na "viagem" de uma equipe, uma família, um grupo comunitário, uma empresa, um país. Deixa claro que o importante não é de onde vieram, nem onde estão, mas aonde desejam chegar. Inventa o futuro, em vez de perder tempo tentando adivinhá-lo. Ajuda as pessoas a identificar com clareza o rumo que pretendem seguir. Ajuda-as a entender melhor os momentos que atravessam. Na vida profissional, estimula as

pessoas a sentir que fazem parte de algo nobre, que vai muito além da simples troca de trabalho por remuneração.
E a superar situações indesejadas ou inesperadas.
Direciona os esforços de mudança. Oferece às pessoas aquilo que mais desejam: uma bandeira, um significado para suas vidas. Mostra como objetivos e metas de curto prazo são fundamentais para a causa comum. Parte do princípio que as pessoas se comprometem emocionalmente com objetivos e metas quando entendem o porquê das ações. Acredita que as pessoas estão dispostas a oferecer o melhor de si e até mesmo a fazer sacrifícios, desde que conheçam a Causa, o Porquê, o Rumo, a Razão de Ser do seu cotidiano.

SEGUNDA

FORMAR OUTROS LÍDERES, NÃO APENAS SEGUIDORES.

O Líder 2.0 cria condições para que
seja revelado o potencial de
liderança das pessoas com as quais convive.
Seu papel não se resume a motivar seguidores.
Não é mais aquele que tem talento
apenas para comandar.
Identifica, revela e forma outros líderes
nas diferentes circunstâncias da vida: no trabalho,
em casa, na escola, na comunidade.
Investe no desenvolvimento de futuros líderes. Educa seus filhos para exercerem a liderança, não apenas para obedecê-lo.

Dá oportunidades, cultiva os pontos fortes, em vez de insistir nos pontos fracos das pessoas que o cercam. Contribui para montar Fábricas de Líderes em todos os níveis, não apenas no topo.

TERCEIRA

LIDERAR EM 360 GRAUS, NÃO APENAS EM 90 GRAUS.

O Líder 2.0 atua onde faz diferença, não fica confinado às "paredes" do seu território formal. Exerce a Liderança fora, para cima e para os lados. Não influencia somente quem está do lado de dentro em uma família, empresa ou equipe. Sabe que precisa exercer a liderança perante clientes, parceiros e comunidades. Às vezes, tem que intervir em operações de seus fornecedores para que garantam o padrão de qualidade e o custo necessários. Deve influenciar as associações de classe do setor em que atua. O Líder 2.0 consegue liderar também para cima. Numa empresa, isso significa influenciar seu chefe, os diretores, o presidente, os acionistas, enfim, todos aqueles que, na escala de poder, ocupam uma posição superior. Essa atitude requer coragem, ousadia, iniciativa, criatividade. No dia a dia, isso implica levar propostas de decisões para esses escalões, em vez de ficar esperando receber ordens prontas para serem implantadas. Está sempre ligado em oportunidades. A filha líder influencia o pai.

O jogador influencia o treinador da equipe. O verdadeiro líder também consegue articular e obter sinergia de seus pares, pessoas do mesmo nível hierárquico, isto é, lidera para os lados. Exibe empatia, tem capacidade de levar em consideração os sentimentos dos outros na hora de tomar decisões. Comanda pessoas que estão fora de sua equipe. O Líder 2.0 é um integrador, constrói coalizões. Aglutina as pessoas. Estimula e premia a colaboração. Obtém sinergia no todo de uma organização e também fora dela: entre a empresa e seus clientes; entre a empresa e a comunidade; entre parceiros, somando forças. Constrói pontes, em vez de paredes.

QUARTA

SURPREENDER PELOS RESULTADOS, FAZENDO MAIS DO QUE O COMBINADO.

O Líder 2.0 consegue obter resultados incomuns de pessoas comuns. Surpreende, superando sempre o esperado. Em vez de simplesmente dar ordens e cobrar rendimento, incentiva cada um a fazer o seu melhor, porque dá o seu melhor. Não espera acontecer. Cria as oportunidades. Estimula o senso de urgência, não deixa as coisas para amanhã. Incentiva parcerias, apoia iniciativas. Prioriza aquilo de que a equipe precisa, não apenas o que desejam seus integrantes. Consegue o grau de compromisso e disciplina necessário para alcançar sonhos definidos em conjunto, não apenas satisfações imediatas. Celebra os sucessos e as pequenas vitórias. Distribui parte dos resultados gerados, em retribuição à comunidade. Avalia desempenhos, dá oportunidades, mas sabe detectar os improdutivos. Consegue equilibrar a busca do sucesso profissional com suas necessidades pessoais, familiares, espirituais. Sabe compatibilizar as pressões da sobrevivência de curto prazo com as necessidades de longo prazo, o hoje com o amanhã. Cuida do presente enquanto cria o futuro.

QUINTA
INSPIRAR PELOS VALORES, NÃO APENAS PELO CARISMA.

Esta é a tarefa mais importante do Líder 2.0. Esta é a "cola" que une as outras quatro forças, a que dá sentido a tudo e se torna o critério de avaliação das outras forças. O Líder 2.0 compreende que o critério do sucesso não é apenas o resultado, mas também a forma como o resultado é obtido. E como o resultado é utilizado. Constrói um código de conduta junto aos membros dos grupos dos quais faz parte, em torno de valores que são explicitados, disseminados e praticados. Constrói uma cultura bem-aceita e com a qual todos se comprometem. A cultura de uma empresa é o ativo intangível que não aparece nos balanços. Pode ser também o passivo, dependendo de como seus membros se comportam. O Líder 2.0 cria um clima de ética, integridade, confiança, respeito pelo outro,

transparência, aprendizado contínuo, inovação, proatividade, paixão, humildade, inteligência emocional.
Cultiva a capacidade de servir clientes, fornecedores, comunidades, parceiros, o liderado. Encara o empreendedorismo como um estado de espírito, não como sinônimo de pessoa jurídica. O Líder 2.0 fala aos olhos, não apenas aos ouvidos. Coerente, serve de modelo sobretudo pela sua conduta. Pratica os valores que defende não apenas quando está no exercício do seu papel formal de líder. Assim o faz 24 horas por dia: em casa, no clube, na rua, na fila do cinema, no check-in do aeroporto, ao procurar uma vaga para estacionar o carro em um shopping center. É líder em tempo integral, em vez de ser um "líder de meio turno" quando está no trabalho.

Quando terminei, ouvi um profundo silêncio, só interrompido pelo barulho do manuseio das folhas de papel.

Após ler mais de uma vez o documento e fazer algumas anotações nas margens e no verso, o presidente exclamou:

– Essas Cinco Forças constituem uma nova forma de pensar sobre Liderança! Você poderia, por favor, desenhá-las ali no quadro da sala de reunião?

Respondi que sim. Levantei-me e todos me acompanharam até a sala ao lado. Rabisquei rapidamente um círculo com as Cinco Forças interligadas.

AS CINCO FORÇAS DO LÍDER 2.0

O presidente disse, então, que faltava algo muito importante:

– Falta adicionar o conjunto de atitudes e posturas que os futuros líderes precisam eliminar. Só conseguimos adquirir novos comportamentos e hábitos quando estamos dispostos a deixar de fazer algo que praticávamos antes. Lembram-se de nosso primeiro encontro? Naquele dia eu verbalizei coisas que me incomodam e que os líderes devem abandonar. Aquela forma de pensar que já não serve mais e acaba aprisionando as pessoas. Por exemplo, pensar que "os liderados são pagos para fazer e não para pensar"; que "o líder inspira pelo carisma"; que "o líder tem de ser melhor que os liderados"; ou que "o líder já nasce líder". E o pior de tudo: pensar que existe um estilo de líder ideal e que você precisa diagnosticar em qual quadrante se encontra para mudar o seu estilo, muitas vezes tentando ser o que não é...

Aí, o presidente se levantou, pegou um pincel atômico e começou a desenhar no quadro um outro círculo de coisas a Eliminar.

Nesse momento o vice-presidente de Recursos Humanos não se conteve e disse:

– Mas existem coisas que são eternas. E que não devem mudar. São os valores fundamentais que são a base de uma sociedade. Por exemplo, a integridade. Independentemente do modelo de liderança, a integridade foi a base de conduta de muitos líderes no passado e, mesmo que o mundo mude radicalmente, deve continuar sendo no futuro.

– O que mais não deve mudar? – perguntou o presidente.

Começamos, então, a listar várias atitudes, hábitos, crenças e valores, como a Integridade, a Capacidade de Relacionamento, as Competências da Comunicação e de Falar em público, a Inovação, a Criatividade, a Coragem, a Flexibilidade para agir em situações diversas e com pessoas de diferentes níveis de maturidade.

A vice-presidente Comercial levantou-se e começou a desenhar o terceiro círculo com a lista de valores a Consolidar.

Continuamos trocando ideias em torno daquela obra coletiva. Era evidente o nível de satisfação de todos. Cada um foi se lembrando de exemplos. Passamos a analisar pessoas públicas que são líderes e a conversar sobre alguns políticos, artistas, celebridades, empresários famosos e até gerentes da empresa. Ficou relativamente fácil avaliar a liderança sem precisar detalhar o estilo de cada um.

À medida que analisávamos os exemplos práticos de vários líderes, foi ficando claro que "oferecer uma causa" e "inspirar pelos valores" (as Forças número 1 e número 5) andam de mãos dadas. São indissociáveis. Chegamos também à conclusão de que poucos são os líderes, raríssimos mesmo, eficazes nas Cinco Forças. Ou seja: não existe líder perfeito!

Todos os líderes sobre os quais conversamos, mesmo os mais reconhecidos e admirados publicamente, precisam fazer um esforço para se desenvolverem em uma ou duas Forças. A grande lição é que o líder deve melhorar continuamente e buscar pessoas que o complementem, tanto na vida profissional quanto na família, no casamento, na vida comunitária. Os líderes eficazes cercam-se de pessoas que os complementam.

Entusiasmado com essas considerações, o presidente afirmou que convocaria uma reunião com toda a diretoria para que eu fizesse uma apresentação daquele esquema e defendesse as razões pelas quais ele deveria servir de base para o programa de treinamento dos líderes atuais e para definir o perfil daqueles que viriam a ser recrutados no futuro.

Explicou que eu deveria enfatizar as atitudes e posturas daquele que convencionamos chamar de Líder 2.0. E trazer exemplos concretos para ilustrar as Cinco Forças do Líder 2.0.

Mas avisou que a reunião só seria marcada para dali a 20 dias, tendo em vista que alguns membros da Diretoria estavam no exterior visitando outras filiais e que dois deles estavam de férias.

Levantei-me para sair.

Quando já estava em pé, disse algo que sentia, mas não conseguira expressar antes.

– Falta mais uma coisa. Talvez seja o mais intangível de tudo – observei. – Nada disso funciona se o líder não for, antes de tudo, um líder de si mesmo. O Líder 2.0 tem de ser líder da própria vida. Quando a gente fala de líderes, sempre pensa em como liderar outros. Precisamos começar a pensar em liderar a nós mesmos. E, para liderar a si próprio, cada um precisa ter uma profunda percepção de suas emoções, seus pontos fortes e fracos, necessidades, desejos e impulsos. Quem possui um elevado nível de autoconhecimento – continuei – sabe o efeito que seus sentimentos têm sobre si mesmo, sobre as outras pessoas e sobre seu desempenho. Por exemplo, um líder que reconhece sua dificuldade em lidar com prazos muito curtos planeja seu tempo cuidadosamente e delega tarefas com antecedência. Quem se conhece bem sabe aonde quer chegar e por quê. Assim é capaz de recusar uma oferta de trabalho financeiramente tentadora, se for contra seus princípios ou não se alinhar com seus objetivos de longo prazo. Por outro lado, quem não se conhece acaba tomando decisões que geram insatisfação interior por ferirem valores profundos.

E continuei afirmando que quem se conhece admite seus fracassos com franqueza e até relata essas situações com um sorriso – uma das características de quem se conhece bem é a capacidade de rir de si mesmo, outra é a autoconfiança. Aposta em seus pontos fortes, mas sabe pedir ajuda, se necessário. Decifrar-se é o mais complexo dos enigmas da liderança. E disparei:

– Liderar a si mesmo talvez seja o verdadeiro enigma do Líder 2.0.

Nesse momento, o presidente me abraçou. E mais uma vez me parabenizou pelo trabalho realizado.

Disse-me que a frase que eu havia pronunciado – "O verdadeiro líder tem de ser um líder de si mesmo"– merecia um brinde especial. Esse era o maior de todos os achados.

– Ninguém consegue liderar outros enquanto não aprender a ser líder de si mesmo! – repetiu, saboreando cada palavra.

Acrescentou ter ficado feliz porque minha mulher havia não apenas me acompanhado, mas compartilhado o desafio. E, sorrindo, insinuou que merecíamos pelo menos uma semana de folga.

Agradeci, satisfeito.

Quase perdi o fôlego, tamanha a euforia. Por mais que eu e minha mulher tivéssemos apreciado as viagens anteriores, em todas elas havia um local definido e uma missão a cumprir. Dessa vez, não. Seriam férias verdadeiras. Poderíamos nos desligar de tudo, apenas relaxar e nos divertir por uma semana.

Eu ainda tinha, porém, uma tarefa a cumprir. Fui até a minha sala de trabalho e pedi que toda a minha equipe se reunisse. Informei o que andara fazendo nas últimas semanas em que estive fora. Apresentei a eles o esboço do que chamei de as Cinco Forças do Líder 2.0. Comuniquei que me ausentaria por mais uma semana e, em seguida, voltaria para continuar nosso trabalho.

Falei algumas palavras de estímulo e passei um pequeno "dever de casa": pedi que cada um identificasse posturas e hábitos que deveríamos Eliminar e atitudes que deveríamos Consolidar. Sugeri que cada um se autodiagnosticasse com relação às Cinco Forças do Líder 2.0, listando o que precisava Adquirir. Por último, solicitei que pensassem em sugestões e contribuições para as ideias que apresentei.

A reunião com minha equipe foi o primeiro resultado prático que produzi dentro da nova visão de liderança. Percebi que entenderam e senti comprometimento da parte deles.

Deixei claro que ninguém nasce pronto. E que confiava na capacidade deles para buscar o próximo patamar no seu próprio desenvolvimento como líder. E perguntei para cada um: "Você é o líder da sua vida?"

EPÍLOGO

Antes de liderar os outros, aprenda a liderar a si mesmo

Comecei essa jornada com medo do fracasso, angustiado, esperando que outros dessem respostas às minhas dúvidas. E agora termino consciente de que preciso ser líder de mim mesmo para poder melhor liderar outras pessoas.

A primeira parte da missão está cumprida. Agora começará uma nova etapa, em que certamente terei novas perguntas e novas descobertas pela frente.

Afinal, a gente não nasce líder, a gente aprende a ser líder. Um Líder 2.0 se faz à medida que se caminha...

Um ano depois, minha mulher e eu saímos de merecidas férias. Estávamos bastante cansados e decidimos passar uma semana na Espanha. Escolhemos esse destino pela sua diversidade. Vários países em um só, cada região com uma história e costumes diferentes. O difícil seria ver tudo o que sonhávamos em tão pouco tempo.

Desembarcamos no aeroporto de Barajas, em Madri, e ao atravessarmos a Gran Via, a caminho do nosso hotel, começamos a descobrir os detalhes dessa efervescente cidade. Fizemos o roteiro de todo turista: Plaza de Toros, Museo Del Prado e Plaza Mayor. Desejávamos conhecer a Catalunha, terra do pintor e escultor Salvador Dalí. Em especial, Barcelona e as obras do grande arquiteto Gaudí.

Viajar de avião, saltando de cidade em cidade, estava fora de nossos planos. Queríamos curtir os detalhes, os momentos, cada ponto da viagem, que, afinal, é tão importante quanto o porto de chegada.

Decidimos alugar um carro e partir em direção ao Sul, região da Andaluzia, onde, além de Granada e Sevilha, pretendíamos conhecer Málaga, a cidade natal de um dos grandes artistas do século XX, o pintor e escultor Pablo Picasso. Assim que chegamos, tomamos café em um botequim na praça em frente à casa onde o artista nasceu, enquanto nos recobrávamos da emoção que sentimos ao ver detalhes da sua infância, como o primeiro rabisco que fizera aos 9 anos de idade. O garçom que nos servia sugeriu um passeio a Marbela, local de veraneio do *jet set* internacional. E mencionou Gibraltar, possessão inglesa encravada na Espanha, localizada a poucos quilômetros dali.

Ficamos curiosos com aquela história de um território de um país dentro de outra nação independente. Ainda mais depois que o garçom adicionou uma pitada de sal e pimenta à sua narrativa:

— Foi em Gibraltar que John Lennon se casou com Yoko Ono, em 1969. Estavam em um navio no Mediterrâneo e ele, cidadão inglês, com pressa de casar, resolveu formalizar a união ali mesmo. Gostaram tanto que a música "The Ballad of John and Yoko" foi inspirada no território britânico de Gibraltar.

Cruzamos a fronteira entre a Espanha e a possesão inglesa e pegamos um teleférico para o ponto mais alto, o Topo da Rocha. De lá pudemos vislumbrar o estreito de Gibraltar: só 13 quilômetros entre Tarifa, extremo sul da península espanhola, e Tanger, extremo norte do Marrocos! De um lado, o sul da Europa, o mundo Ocidental. Do outro, o norte da África, o mundo Árabe. À esquerda, o penetrante azul do Mar Mediterrâneo. À direita, a intensa movimentação do Oceano Atlântico.

O Rochedo de Gibraltar é uma das esquinas onde vários mundos se encontram. Mundos tão perto e tão longe. Culturas tão diferentes, separadas por apenas 13 mil metros.

Minha mente descolou do corpo e voou longe ao procurar entender a situação peculiar daquele rochedo – sólido, forte, alto, estratégico – cercado pela fluidez das águas. De repente, percebi que ele simbolizava a síntese do nosso mundo: a estrutura sólida que insistimos em construir, cercada pela volatilidade da realidade.

Gibraltar, um ícone para navegadores, deveria se tornar um ponto de peregrinação para os eternos aprendizes da Liderança.

Virei para a frente, fixando o olhar naquelas duas extremidades. Percebi que minha mulher olhava na mesma direção e compartilhei com ela meus pensamentos. Lembramos, então, do que tínhamos aprendido ao longo dessa jornada iniciada havia apenas um ano, com aquela resposta inesperada a um e-mail quase anônimo que eu tivera a ousadia de enviar.

— Antes de liderar os outros tenho de aprender a liderar a mim mesmo! – disse ali em voz alta, recebendo um olhar compreensivo da minha mulher.

Sabemos que, ao liderar, desafiamos as pessoas a mudarem seus hábitos, posturas, atitudes, comportamentos, modos de pensar. Enfim, a modificar a forma de encarar suas vidas. Mas, ali em Gibraltar, entendia com profundidade que a mudança começa dentro de cada um de nós. O Líder 2.0 deve começar a mudança em si.

Não me contive e recitei Fernando Pessoa:

> "Há um tempo em que é preciso abandonar
> as roupas usadas, que já têm a forma do
> nosso corpo, e esquecer os nosso caminhos,
> que nos levam sempre aos mesmos lugares
> E o tempo da travessia: e, se não ousarmos fazê-la,
> teremos ficado, para sempre à margem de nós mesmos."

Inspirados por aquele cenário espetacular que se descortinava a nossos olhos, eu e minha mulher assumimos o compromisso de mudar. E demos o primeiro passo.

Fizemos o que deve ser feito por todos aqueles que querem iniciar profundas transformações na família, na empresa onde trabalham, na comunidade, no mundo.

Primeiro, relacionamos aqueles valores dos quais não abrimos mão e devemos ADQUIRIR. Salientamos nosso comportamento de transparência e ética, o respeito mútuo, a busca da verdade. Depois enumeramos os hábitos, comportamentos, posturas e atitudes que precisamos ELIMINAR. Listamos a mania de querer controlar tudo, de centralizar decisões. Finalmente, fizemos uma lista de tudo o que precisamos CONSOLIDAR, como procurar mais o significado das coisas, o compromisso de revelar líderes à nossa volta, o hábito de lutar para que cada um dê o melhor de si. Em resumo, fizemos uma lista de tudo o que precisa mudar em cada um de nós.

Você, que chegou até aqui nesta jornada, faça o mesmo! Liste o que precisa mudar em você para se tornar um Líder 2.0:

Quais atitudes e valores você precisa ADQUIRIR?

Quais você precisa ELIMINAR?

Quais precisa CONSOLIDAR?

Vamos lá, coragem!

AGRADECIMENTOS

Aos diversos líderes com os quais tenho convivido ao longo de minha trajetória. E que me fizeram entender que cada um, antes de pretender liderar os outros, deve aprender a liderar a si mesmo.

Aos sócios e colegas de trabalho na Empreenda, pela confiança nas ideias que se transformaram nesta obra.

Um agradecimento especial a Renato Baiardi, que decifrou o enigma da liderança antes mesmo de ele ser pensado.

A Carlos Alberto Júlio, meu muito obrigado por ter me encorajado a escrever este livro e por abrir para mim as portas da Editora Sextante.

A Marcos e Tomás Pereira, agradeço o estímulo e a carinhosa acolhida na "Casa"!

A Cristina Nabuco, Mauro Silveira, Virginie Leite e a equipe da Sextante, minha gratidão por me emprestarem inteligência e competência desde o momento em que este livro era apenas um desejo.

A José Salibi, Marcos Braga e a equipe da HSM, pelo estímulo e pela contribuição para o desenvolvimento dos nossos líderes.

BIBLIOGRAFIA E FONTES DE CONSULTA

Livros

COLOMBINI, Luis. *Aprendi com meu pai*. São Paulo: Versar, 2006.

CORTELLA, Mario Sergio. *Não nascemos prontos*. Rio de Janeiro: Vozes, 2006.

CRUZEIRO, Maria Manuela. *Melo Antunes: O sonhador pragmático*. Lisboa: Notícias, 2004.

GARDNER, Howard. *Mentes que mudam*. Porto Alegre: Bookman, 2005.

GIULIANI, Rudolph. *Leadership*. Nova York: Miramax Books/Hyperion, 2002.

GROSS, Michael. *Modelo: O mundo feio das mulheres lindas*. Rio de Janeiro: Objetiva, 1996.

HUNTER, James C. *Como se tornar um líder servidor*. Rio de Janeiro: Sextante, 2006.

____. *O monge e o executivo*. Rio de Janeiro: Sextante, 2004.

JÚLIO, Carlos Alberto. *Reinventando você*. Rio de Janeiro: Campus, 2002.

KOTTER, John P. *Liderando mudanças*. Rio de Janeiro: Campus, 1997.

KOUZES, James M.; POSNER, Barry Z. *O desafio da liderança*. Rio de Janeiro: Campus, 2003.

KRAMES, Jeffrey A. *O estilo Jack Welch de liderança*. Rio de Janeiro: Campus, 2005.

MANDELA, Nelson. *Nelson Mandela: A luta da minha vida*. São Paulo: Globo, 1989.

MILLER, John G. *Você é mais capaz do que pensa*. Rio de Janeiro: Sextante, 2005.

MORITA, Akio *et al*. *Made in Japan*. São Paulo: Cultura, 1986.

MUSSAK, Eugenio. *Metacompetência*. São Paulo: Gente, 2003.

PANDYA, Mukul; SHELL, Robbie. *Liderança duradoura*. Porto Alegre: Bookman, 2005.

PETERS, Tom. *Reimagine!* São Paulo: Futura, 2004.

SILVEIRA, Mauro. *13 histórias que vão inspirar você – Especial Você S/A*. São Paulo: Abril, 2006.

SOUZA, César. *O momento da sua virada*. São Paulo: Gente, 2004.

____. *Você é do tamanho de seus sonhos*. São Paulo: Gente, 2003.
TEJON, José Luiz. *Liderança para fazer acontecer*. São Paulo: Gente, 2006.
WEISBERGER, Lauren. *O diabo veste Prada*. Rio de Janeiro: Record, 2005.
WITER, Yoram; CROOK, C.; GUNTHER, R. *A força dos modelos mentais*. Porto Alegre: Bookman, 2005.
WONG, Robert. *O sucesso está no equilíbrio*. Rio de Janeiro: Campus, 2005.
YOSHIDA, Ernesto. *13 lições de liderança – Especial Você S/A*. São Paulo: Abril, 2005.

Artigos

"50 lições de liderança", por Tom Peters. *Você S/A*, Especial Liderança. Disponível em: http://www.vocesa.com.br, 6/4/2006.
"A discreta retomada da Xerox", por Darcio Oliveira. *Isto É Dinheiro*, Negócios. Disponível em: http://www.terra.com.br/istoedinheiro/235/negocios/235_discreta_retomada.htm, 27/2/2002.
"A vez dos líderes anônimos", por Daniela de Lacerda. Entrevista com o filósofo Mario Sergio Cortella. *Você S/A*. Disponível em: http://vocesa.abril.com.br/informado/aberto/ar_127824.shtml
"Além do próprio ninho", por Tatiana Chiari; "Receita nova" e "No supermercado, na favela, no bar", por Silvana Mautone. *Portal Exame 2006*.
"As estrelas do Norte (MASA)", por Renata Avediani. *Exame*, 150 Melhores Empresas para Você Trabalhar. Edição especial, 2006.
"As lições de liderança de Rudolph Giuliani", por Leandro Vieira. Palestra realizada no seminário Sumário HSM, São Paulo.
"Afinal elas estão chegando lá", por Denise Dwek. *Exame*, 30/8/2006.
"África lembra os 30 anos do Soweto". *A Tarde*, 17/6/2006.
"Akio Morita", por Peter Ross Range. *Playboy*, edição 86.
"Brasileiros do século – Empreendedor: Jorge Gerdau Johanpeter". *Isto É*, Biblioteca Isto É. Disponível em: http://www.terra.com.br/istoe/biblioteca/brasileiro/empreendedor/emp11.htm
"Carlos Ghosn, presidente mundial da Nissan". Entrevista para o *Portalqualidade.com* realizada pela Enfato Comunicação Empresarial. Disponível em: http://www.portalqualidade.com/noticias/entrevistas/mostra_carlos_ghosn.asp?m=s, dezembro de 2004.
"Cinco pães e dois peixes". Entrevista com a Dra. Zilda Arns. *O Estado de S. Paulo*, 3/12/2006.

"Como vencer o desafio de crescer", por Maria Luisa Mendes. *Exame PME*, Eles venceram o desafio do crescimento. Edição especial, outubro de 2005.

"Como vender alimentos à Classe C", por Ivan Martins. *Isto É Dinheiro*, 14/12/2005.

"Dentro da mente do líder". *Harvard Business Review*, janeiro de 2004.

"Do Brasil emerge um gigante do aço". *Raízes do Sul*. Disponível em: http://www.raizesdosul.com.br/gerdau_nyt.htm, 30/8/2001.

"Embraer só perde para Boeing e Airbus em jatos comerciais". *Folha de S. Paulo*, 3/12/2006.

"Embraer vai investir". *O Estado de S. Paulo*, 15/12/2006.

"Fortune – 50 Most Powerful Women". *CNN Money*. Disponível em: http://money.cnn.com/magazines/fortune/mostpowerful women/2006

"Gerdau lidera ranking de empresas mais internacionalizadas do país", por Patrícia Cançado. *O Estado de S. Paulo*, Economia & Negócios, 25/10/2006.

"Ghosn reorganiza Nissan nos EUA". *Valor Econômico*, 3/7/2006.

"Ivan Zurita, presidente da Nestlé Brasil", por Patricia Lombardi. *Boletim Brasileiro*, março-abril 2006.

"Jack estava errado?", por Angela Pimenta. *Exame*, 27/7/2006.

"Montadoras: Operação Salva-vidas – Uma Mão para a GM". *Isto É Dinheiro*, 12/7/2006.

"O gênio da liderança", por Nelson Blecher e Ângela Pimenta. *Exame*, 27/4/2005.

"O McDonald's dos cabeleireiros", por João Paulo Gomes. *Exame PME*. Edição especial, outubro de 2005.

"O rei das churrascarias". *Vida Executiva*, agosto de 2006.

"O Spielberg do videogame", por Denise Dweck. *Exame*, 1/6/2006.

"Quem vai suceder este homem?", por Suzana Naiditch e Cristiane Mano. *Exame*, 9/3/2006. Disponível em: http://portalexame.abril.com.br/revista/exame/edicoes/0863/gestao/m0081031.html

"Show dos milhões", por Nelson Blecher. *Exame*.

"Um campeonato por dia", por Claudia Vassalo. *Exame*, 3/7/2002.

"Vingança em alto estilo", por Maurício Stycer. *Carta Capital*. Disponível em: http://www.cartacapital.com.br, 27/11/2006.

Eventos

VI Fórum de Presidentes. Promovido pela ABRH.

Career Fair 2006. Promovido por *Você S/A*, com palestras de James C. Hunter e painel com Eduardo Bom Angelo, Heloísa Helena Belém (Zica) e Ulisses Tapajós Neto, sob a coordenação de Maria Teresa Gomes.

ExpoManagement 2003, 2004, 2005 e 2006. Promovidos pela HSM do Brasil.

Fórum Exame PME 2006. Depoimento de Howard Putnam sobre o Case Southwest, em 16/10/2006.

Filmes

A *vida de Leonardo Da Vinci*. Direção: Renato Castellani. Itália, 1972.

Alexandre, o Grande. Direção: Robert Rossen. EUA, 2004.

Apollo 11. Direção: Norberto Barba. EUA, 1996.

Dois filhos de Francisco. Direção: Breno Silveira. Brasil, 2005.

Kundun. Direção: Martin Scorsese. EUA, 1997.

O diabo veste Prada. Direção: David Frankel. EUA, 2006.

Paris, eu te amo. Direção: Vários. França, 2006.

Sites

http://www.anc.org.za/people/mandela.html [Perfil de Nelson Rolihlahla Mandela.]

http://www.businessweek.com/magazine/content/03_30/b3843105.htm [Biografia de Charlene Begley, executiva da GE.]

http://www.hillaryclinton.com [Site oficial de Hillary Clinton.]

http://www.starnews2001.com.br/dalai.html [Biografia de Sua Santidade, o Dalai-Lama.]

http://www.whitehouse.gov/government/rice-bio.html [Biografia de Condoleezza Rice.]

Sobre o autor

César Souza é um dos consultores e palestrantes mais requisitados do Brasil. Exerceu, durante 20 anos, importantes posições de liderança no Brasil e no exterior.

É presidente da Empreenda, empresa de consultoria que se diferencia pela aplicação de três bem-sucedidos tipos de soluções integradas: Estratégias Inovadoras, Desenvolvimento de Líderes e Cultura da Clientividade®. César atua também como conselheiro pessoal de empresários em vários países e coordena programas diferenciados de desenvolvimento de líderes, tendo realizado workshops e palestras nos Estados Unidos, Japão, Portugal, Espanha, Angola, Argentina, Peru e Venezuela.

Considerado pelo Fórum Econômico Mundial de Davos, na Suíça, um dos 200 Líderes Globais do Futuro, o autor já vendeu 300 mil exemplares de seus cinco livros – *Você é do tamanho dos seus sonhos*, *Você é o líder da sua vida?*, *O caminho das estrelas*, *Superdicas para conquistar clientes* e *O momento da virada*. Colabora em jornais e revistas, além de produzir o Blogdolider.com.br e escrever a coluna "Cabeça de Líder", do portal da HSM.

Visite os sites www.liderdasuavida.com.br e
www.blogdocesar.com.br

Conheça outro título do autor

O caminho das estrelas

No passado, as estrelas eram utilizadas para orientar os navegadores e mantê-los no rumo certo. Atualmente, como dispomos de instrumentos bem mais sofisticados, as estrelas passaram a desempenhar um novo papel: o de nos guiar na direção dos nossos sonhos.

Nesse livro, César Souza usa sua rica experiência empresarial e pessoal para nos apresentar o caminho das estrelas: aquele que devemos percorrer para realizar nossos sonhos e resgatar os planos que abandonamos em função das exigências da vida.

O autor nos inspira a encontrar e desenvolver o líder que há dentro de cada um de nós, contando histórias reais de personagens famosos, executivos, empresários bem-sucedidos e anônimos notáveis, como Almir do Picolé e dona Geralda, ex-catadora de lixo.

A partir desses exemplos, somos estimulados a seguir cinco passos para enfrentar as situações que nos incomodam e desempenhar melhor nosso papel no trabalho, em casa e no dia a dia.

Conheça os 50 Clássicos da Editora Sextante

Espiritualidade/Inspiração

A cabana, de William P. Young
Muitas vidas, muitos mestres, de Brian Weiss
Jesus, o maior psicólogo que já existiu, de Mark W. Baker
Conversando com os espíritos, de James Van Praagh
A última grande lição, de Mitch Albom
O Mestre dos Mestres, de Augusto Cury
O Poder do Agora, de Eckhart Tolle

Negócios

O monge e o executivo, de James C. Hunter
Como se tornar um líder servidor, de James C. Hunter
Jesus, o maior líder que já existiu, de Laurie Beth Jones
O ócio criativo, de Domenico De Masi
Faça o que tem de ser feito, de Bob Nelson
A hora da verdade, de Jan Carlzon
Transformando suor em ouro, de Bernardinho

Ficção

O Código Da Vinci, de Dan Brown
Ponto de Impacto, de Dan Brown
Anjos e Demônios, de Dan Brown
Fortaleza Digital, de Dan Brown
As cinco pessoas que você encontra no céu, de Mitch Albom
O guardião de memórias, de Kim Edwards
A conspiração franciscana, de John Sack

Livros de bolso

Dez leis para ser feliz, de Augusto Cury
Seja líder de si mesmo, de Augusto Cury
Você é insubstituível, de Augusto Cury
Palavras de sabedoria, de Sua Santidade, o Dalai-Lama

A vida é bela, de Dominique Glocheux
Filtro solar, de Mary Schmich
Posso conseguir o que desejo, de Iyanla Vanzant
Quem acredita sempre alcança, de Peter McWilliams

Autoajuda

Por que os homens fazem sexo e as mulheres fazem amor?, de Allan e Barbara Pease
Desvendando os segredos da linguagem corporal, de Allan e Barbara Pease
Por que os homens mentem e as mulheres choram?, de Allan e Barbara Pease
Nunca desista de seus sonhos, de Augusto Cury
Pais brilhantes, professores fascinantes, de Augusto Cury
Não leve a vida tão a sério, de Hugh Prather
Mantenha o seu cérebro vivo, de Laurence Katz e Manning Rubin
A Boa Sorte, de Álex Rovira Celma e Fernando Trías de Bes
Enquanto o amor não vem, de Iyanla Vanzant
O poder da paciência, de M. J. Ryan
Os segredos da mente milionária, de Harv T. Ecker

Coleção *Você S.A.*

Aprendendo a lidar com pessoas difíceis, de Rick Brinkman e Rick Kirschner
Como administrar seu tempo, de Marc Mancini
Como motivar sua equipe, de Anne Bruce

Coleção *Autoestima*

O poder das afirmações positivas, de Louise Hay
Histórias para aquecer o coração, de Jack Canfield e Mark Victor Hansen
Lições sobre amar e viver, de Morrie Schwartz

Referência

1001 filmes para ver antes de morrer, de Steven Jay Schneider
1001 discos para ouvir antes de morrer, de Robert Dimery
1001 vinhos para beber antes de morrer, de Neil Beckett
1.000 lugares para conhecer antes de morrer, de Patricia Schultz

informações sobre os próximos lançamentos

Para receber informações sobre os lançamentos da EDITORA SEXTANTE, basta cadastrar-se diretamente no site www.sextante.com.br

Para saber mais sobre nossos títulos e autores, e enviar seus comentários sobre este livro, visite o nosso site www.sextante.com.br ou mande um e-mail para atendimento@esextante.com.br

EDITORA SEXTANTE
Rua Voluntários da Pátria, 45 / 1.404 – Botafogo
Rio de Janeiro – RJ – 22270-000 – Brasil
Telefone (21) 2286-9944 – Fax (21) 2286-9244
E-mail: atendimento@esextante.com.br

nota da editora

Esta é uma obra de ficção. A inserção de personagens reais procura demonstrar, através de exemplos concretos, a prática dos princípios de liderança apresentados neste livro. Suas histórias e os diálogos que os envolvem foram construídos a partir de diversas fontes: conversas com o autor, observação em eventos, palestras, relatos de terceiros, artigos, livros, sites, documentários e matérias publicadas na imprensa, como mencionado na bibliografia.